DE CUERPO ENTERO

Diseño de Interior y Portada: Fernando Pizarro
Foto Portada: Alejandra Aguirre
Modelo: Carmen Aguirre

© Carmen Rodríguez
© Editorial Los Andes
Apoquindo 3000 - piso 19
Teléfono 2463494 - Fax 2325985
Inscripción N° 99.874
I.S.B.N. 956-7014-98-1
Derechos reservados para todos los países
Primera edición: mayo de 1997
Santiago de Chile

Impreso en Productora Gráfica Andros

Impreso en Chile/Printed in Chile

SERIE LA OTRA NARRATIVA

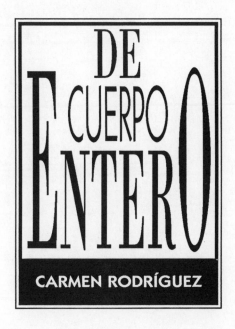

DE CUERPO ENTERO

CARMEN RODRÍGUEZ

EDITORIAL
LOS ANDES

Fragments of memory. But the brevity,
like a gasp of air quickly held, the
body slow to let go.

Fragmentos de la memoria. Pero la brevedad,
como un soplo de aire retenido de prisa, el
cuerpo lento en dejarlo ir.

Lydia Kwa

Tal vez, tal vez el olvido sobre la tierra como una copa
puede desarrollar el crecimiento y alimentar la vida
(puede ser), como el humus sombrío en el bosque.
...
Tal vez, pero mi plato es otro, mi alimento es distinto:
mis ojos no vinieron para morder olvido:
mis labios se abren sobre todo el tiempo, y todo el tiempo,
no sólo una parte del tiempo ha gastado mis manos.

Por eso te hablaré de estos dolores que quisiera apartar,
te obligaré a vivir una vez más entre sus quemaduras,
no para detenernos como en una estación, al partir,
ni tampoco para golpear con la frente la tierra,
ni para llenarnos el corazón con agua salada,
sino para caminar conociendo, para tocar la rectitud
con decisiones infinitamente cargadas de sentido,
para que la severidad sea una condición de la alegría, para
que así seamos invencibles.

Pablo Neruda

A la memoria de Nelson Rodríguez, hermano y compañero, porque él vivió en las quemaduras.

A la memoria de Carmen Cortés, madre y compañera, porque ella nunca olvidó.

Y también para Ana María, Coto y Manelo.

UNA DIETA BALANCEADA: RISAS Y LLANTO EN LA CASA EN EL AIRE

Prohibieron ir a la escuela
e ir a la universidad
prohibieron las garantías
y el fin constitucional
prohibieron todas las ciencias
excepto la militar
prohibieron el derecho a queja
prohibieron el preguntar
hoy te sugiero mi hermano
pa' que no vuelva a pasar
¡Prohibido olvidar!

Rubén Blades

Yo acabo de emerger del desierto salobre, ondulado, caliente piel granulada recostada boca arriba contra una extensión infinita de azul. Me reciben una serie de explosiones verdes serpenteadas por aguas cordilleranas: Huasco, Elqui, Limarí, Choapa, Petorca, Aconcagua. A lo largo del recorrido me ha acompañado el pulso del Océano Pacífico y finalmente me he desprendido de su abrazo de espuma para adentrarme en huertos y jardines hasta llegar a la locura de Santiago.

Los picos nevados de la cordillera flotan en la mitad del cielo, suspendidos ahí arriba como por arte de magia. La ciudad me acoge en su nube de deshechos perforada por ruidos de metal y carne, chirridos, bocinas, gritos, campanas, vendedores de chicle, curitas, agujas, pañuelos, adornos de Navidad. Aquí está la centenaria estación del ferrocarril, rejuvenecido albergue de los artistas. Allá, La Vega, con sus cerros de duraznos, uvas, chirimoyas, tomates, paltas. Un poco más allá, los coloridos quioscos con sus fogones y comedores improvisados llenos de gente trabajadora comiendo y matándose de la risa.

Se me hace agua la boca de sólo pensar en un suculento caldillo de congrio, un pastel de choclo o un plato de porotos granados. Me acerco y me meto en el barullo. El aroma celestial del comino y la albahaca me llenan el cuerpo de placer. Hace mucho, mucho tiempo que no como porotos granados, le digo a la mujer ataviada con un impecable delantal blanco que me devuelve una sonrisa de oreja a oreja. Buen provecho, señorita, me dice al pasarme el plato humeante. Le va a hacer bien. Es un plato muy balanceado: proteínas, verduras, un poquito de grasa, no mucha, y aliños para ponerla contenta. Además, le va a activar el sistema digestivo, agrega con una risita y un guiño. Me siento en una mesa donde ya come cerca de una docena de personas y mientras sonrío en silencio, escucho los chistes y los alguna vez familiares ruidos del barrio. Lo único que falta es la voz de los trenes que hace veinte años partían diariamente al puerto con sus cargamentos de primera, segunda y tercera clase.

El impecable Metro me ofrece oleadas de chilenos provenientes de lugares donde alguna vez una mano grande me llevó al otro lado de la Alameda o una boca me besó el cuello con ternura: Universidad de Chile, Santa Lucía, Baquedano. La Moneda es otra cosa; ahí bombardearon buena parte de mi vida.

Me asomo nuevamente al torbellino iluminado por uno de esos soles implacables del verano santiaguino. La marea de cuerpos me transporta por entre vehículos decididos a terminar con mi precaria humanidad. Mi corazón ha cambiado en todos estos años. No sólo afloran las lágrimas a la menor señal, sino que me asusto con cualquier cosa. También he perdido mis habilidades de torera tan bien aprendidas en mi juventud. A pesar de todo, logro llegar al otro lado de la calle, entera y triunfante, y apuro el paso hacia Bellavista. En mis tiempos, Bellavista no existía. Los únicos que se habían percatado de su vida eran la muda estatua de la Vírgen María en la punta del Cerro San Cristóbal, los habitantes de las casonas antiguas del barrio, y Neruda, instalado en La Chascona contemplando la ciudad con sus ojos de poeta.

El Mapocho corre a saltitos por entre piedras y arena. Me paro unos segundos en el Puente Pío Nono con la cordillera a mis espaldas. No, esta vez el río no lleva cadáveres mutilados en su agua chocolatada. Ni siquiera hay papeles o tarros flotando en la corriente, como antes. Santiago se ha convertido en una ciudad muy limpia. Tan limpia como el olvido.

Santiago, 27 de agosto, 1993

Queridísima Laura:

¡No puedo creer que te encontré después de todos estos años! Por algún conducto supe que habías terminado en el Canadá, pero según tengo entendido, el Canadá es un país muy, pero muy grande... Desde que supe que estabas por esos frígidos lares, empecé a imaginarte vestida con una chaqueta de gamuza con piel en la capucha y botas de cuero de foca, montada en un trineo tirado por seis perros de ojos azules. Como buenos gringos (ja,ja). Incluso pinté un cuadro con esta imagen tuya. Te puse en lo que yo me imagino como el Ártico, todo muy blanco y luminoso. Me dio mucha risa porque a raíz de ese óleo los críticos hablaron de mis tendencias místicas, de las influencias surrealistas, etcétera, etcétera. Yo los dejé hablar. ¿Qué más podía hacer? Por supuesto que nadie sabe (hasta ahora que te lo cuento a ti) que ese cuadro sólo representaba mis ganas de mantenerte viva en mi memoria.

Desde que supe que estabas en el Gran País del Norte, me he dedicado a preguntarle por ti a todo el mundo que tenga alguna conexión por allá. Así he llegado a conocer los nombres de muchas provincias y ciudades canadienses, algunos de los cuales me parecen interesantísimos. El que más me ha gustado hasta ahora es Saskatoon, no sé por qué, pero me suena a algo grande y muy rojo, aunque según lo que me dijeron, es más bien blanco... Pero ahora también sé que no todo el Canadá es un refrigerador; en verdad, algunas partes son más bien como un frigorífico... (ja,ja). Hace como dos años conocí a una canadiense que me dijo que había leído un libro tuyo publicado en Toronto. Casi se me cayó el pelo de la impresión. Le pregunté hasta el más mínimo detalle, pero al fin y al cabo, la gringa no se acordaba de mucho y parecía no saber nada, menos todavía dónde vivías. Quedó de mandarme el libro, pero hasta el día de hoy... Seguramente me encontró un poco loca.

Hace tanto tiempo que he estado tratando de encontrarte que ya casi había perdido las esperanzas, hasta que... este señor gordito con pantalones de franela y suspensores elásticos se me acercó en la última exposición que tuve en La Casa Larga y se puso a conversar. Ya ni me acuerdo cómo fue que me dijo que vivía en el Canadá y yo, automáticamente le pregunté si conocía a Laura Arzola y en eso le escuché que estaba diciendo sí, la escritora, y yo le dije, ¡es una gran amiga mía! (nunca perdí la certeza de que a pesar de los años seguirías siendo una gran amiga mía...). Pero hace veinte años que no la veo, le dije y él me dijo, yo me voy de vuelta a Vancouver la semana que viene y si quiere le llevo una carta.

Y así, desde entonces que no he podido dejar de pensar en ti y he estado recordando tantas cosas y despertándome en la mitad de la noche tratando de imaginarme tu cara y tu cuerpo con veinte años más a cuestas, hasta que hace dos noches me levanté y me puse a pintarte. Esta vez no estabas en el Ártico blanco, sino en un bosque gigantesco y muy verde porque don Luis, el señor que te lleva la carta, me contó que el paisaje de Vancouver es como el del sur de Chile. En la pintura estás desnuda caminando por el bosque, pero tienes en el brazo un canasto lleno de pan amasado, como el que tenía la mujer campesina ese día en Valdivia, pocos días después del golpe, cuando fuimos a ver a los presos políticos y supimos lo de Mario...

Esa mañana el barro nos llegaba hasta los tobillos. Habíamos cruzado el río enrulado en el bote de costumbre y llegamos a las puertas de la cárcel empapadas de lluvia. Una cincuentena de personas ya esperaba la hora de visita. Nos armamos de paciencia y nos instalamos en la cola, tú con tu humor de siempre, contándome chistes para pasar el rato y disimular el nerviosismo, yo con un nudo en el estómago. A los pocos minutos el rumor explotó como pólvora: doce presos habían sido fusilados la noche anterior, entre ellos Alejandra, Fernando, Miguel, Arcadia y Pepe. Tú me dijiste que no podía ser, que no podían llegar tan lejos. Ya llegaron los observadores internacionales, me dijiste. No pueden llegar y matar una docena de jóvenes así como así.

Esperamos en la lluvia torrencial del sur, esa lluvia furiosa y paciente que hace crecer el pasto en cualquier parte. Nadie hablaba, algunos lloraban. Pero no tú. La cabeza en alto, me dijiste que los milicos nunca verían llorar a Mireya Jiménez. Adentro de la cárcel estaban mi compañero, otros amigos y camaradas. ¿Pero estaban? La lluvia nos corría por la cara... habría sido fácil disimular. Levanté la cabeza, enderecé los hombros y traté de imitarte, pero las lágrimas se me metían irremediablemente por la boca.

La cola comenzó a avanzar lentamente al ritmo de

candados y cadenas, portones abriéndose y cerrándose. Algunos entraban, otros salían. Y entonces la vimos. La campesina vestida de negro con un canasto de pan amasado bajo el brazo. Dos mujeres la tenían tomada de los brazos y prácticamente la arrastraron hasta un árbol. Ahí se sentaron en el barro y la mujer del canasto se puso a llorar a gritos con el pan todavía intacto bajo el brazo.

Le habían fusilado al hijo.

Es verdad, me dijiste. Los mataron.

La cola siguió avanzando perezosamente. Llegamos al portón. Yo ya no escuchaba ni sentía nada. Sólo el corazón ensordeciéndome y las náuseas en la boca del estómago. Tú, pálida, pero inconmovible. Buenos días mi cabo, buenos días señoras. Pasen. Agarradas del brazo, caminamos a la casucha de las visitas. Se me doblaban los tobillos, me resbalaba en el barro pegajoso. No te rindas, me dijiste.

La casucha olía a tufo y cigarros. Una nube de humo ensombrecía las siluetas flacas y ojerosas de los presos. Busqué a Mario en el lugar de costumbre, pero alguien más ocupaba su lugar. Lo quise hallar en cada una de esas caras demacradas, pero sólo encontré ojos extendidos hacia mí como brazos. El vómito salió de mi cuerpo en el instante mismo que me di cuenta que Mario era uno de los fusilados. Todo se volvió un inmenso manchón negro salpicado de luces de colores. Escuché tu voz en mi oído pidiéndome que te ayudara a sacarme de ahí. Todavía recuerdo tus manos debajo de mis brazos, llevándome de vuelta a la calle casi en vilo.

La lluvia, los árboles, incluso las caras de la gente habían adquirido una nitidez excepcional. Floté calle abajo mientras observaba la perfección transparente de las venas de las hojas, mapas enteros salidos de árboles susurrantes, la calidad cristalina de las gotas de lluvia llenando el espacio luminoso, miedos oscuros rodeados de pestañas en caras talladas en piedra. Tu voz me sacó del ensueño. Los presos te habían contado que los doce habían muerto como verdaderos revolucionarios. Cuando los habían sacado de sus celdas, se habían ido cantando *La Internacional* a voz en cuello y pronto todos los otros se les habían unido desde sus propias celdas. Todavía cantaban cuando oyeron las voces de mando y la metralla.

Sentí el barro metérseme por los zapatos y la lluvia inundarme el cuello, mientras la voz se me escapaba del pecho a borbotones. Cuando dimos la vuelta a la esquina, me abrazaste con la cara tibia de lágrimas. Las pagarán los desgraciados, me dijiste. Las pagarán.

Vancouver, 9 de septiembre, 1993

Queridísima Mireya:

No tienes idea la emoción que me causó recibir tu carta. Demás está decir que también desató un torrente de recuerdos y nostalgias y que como tú, no he podido dejar de pensar en ti y en todos aquéllos que poblaron esa parte de mi vida. Claro que en vez de levantarme a pintar en la mitad de la noche como tú, yo me he estado levantando a escribir.

Mireya, nunca dejarás de ser una gran amiga, a pesar de las distancias y los años. Cuando dos personas

20

han pasado momentos tan buenos y tan malos juntas, es imposible cortar las conexiones. Además, sin tu fortaleza y tu ayuda, nunca habría podido sobrevivir a tantos golpes y penas.

Pero la vida continúa y de algún lugar sacamos ganas de vivir. Llegué a Buenos Aires el 13 de diciembre del '73, o sea más de dos meses después que tú y Carlos me ayudaron a saltar el cerco de la embajada argentina en Santiago. Mi mamá y mis hijas llegaron justo antes de la Navidad. Yo me había conseguido un departamentito en El Once, uno de los barrios del Gran Buenos Aires y allí estuvimos casi ocho meses, hasta que nos salió el permiso para venirnos al Canadá como refugiadas.

Buenos Aires es una ciudad fascinante y los argentinos se portaron muy solidarios con nosotras. Además, había una cantidad impresionante de chilenos exiliados y con ellos nos juntábamos a recordar y putear. En general, logramos sobrevivir, aunque por muchos meses yo estuve metida en un gran pozo oscuro. No podía aceptar que hubieran matado a Mario, que nos hubieran amputado los sueños de un día para el otro, que ya no podría volver a Chile quizás hasta cuándo... Tú sabes muy bien cuánto disfruto de las artes culinarias (hasta el día de hoy) y cómo siempre insistía tanto en mantener una dieta balanceada (y todavía pienso que es super importante). Bueno, fíjate que en la Argentina bajé como diez kilos, y no exactamente porque me puse a dieta. Sencillamente, no me daban ganas de comer.

Mi vieja se portó como una roca. Jugó el papel de

madre mía, y madre, padre y abuela de las niñas, además de hacerse cargo del trabajo de la casa. Yo me conseguí una peguita de secretaria en una oficina de abogados y eso nos permitió vivir al tres y al cuatro. De alguna manera mi mamá se las arreglaba para estirar el sueldo y alimentar bien a las niñas.

Llegamos a Vancouver el 7 de agosto de 1974 y empezamos a vivir de nuevo, esta vez en otro idioma. Al principio el gobierno nos mantuvo y me mandó a clases de inglés. Después de unos meses mi mamá se consiguió trabajo limpiando casas y yo como camarera de banquetes en un hotel elegante del centro. Aquí tienes material para un nuevo óleo inspirado en mí: trata de imaginarme en uniforme de camarera, traje negro, delantalcito blanco, cofia y guantes, llevando una bandeja redonda con cincuenta copas (llenas) elevada sobre el hombro, sirviéndole tragos a un batallón de pelotudos, hombres de negocios vestidos con ternos de mil dólares para arriba. Las mesas están llenas de comida elegante: canapés de caviar y espárragos, salmón ahumado, paté de hígado de ganso, camembert y uvas negras, veintisiete clases de galletitas saladas... Entonces, en vez de tragos, ahora traigo una bandeja con fuentes de filete y langosta, *coq-au-vin*, *insalata primavera*... ¿Qué te parece? ¿Estás impresionada? El único problema es que no puedo tocar ninguna de estas creaciones gastronómicas hasta que se acabe el banquete y todos los camareros nos sentemos en la cocina a comernos las sobras. Así es que vas a tener que ver manera de que la pintura me muestre con los ojos largos.

En el '76 volví a estudiar literatura en la universidad ya que me di cuenta de que mis títulos de Chile no serían reconocidos acá. Vivimos en una linda casita blanca en el complejo para estudiantes dentro del campus universitario. Te imaginarás que después de haber vivido en el sótano de una casa por bastante tiempo, la casita blanca adquirió la calidad de mansión. Yo trabajé de ayudante de la cátedra de Literatura Hispanoamericana, lo que nos permitió vivir bastante decentemente por unos cuantos años. A las niñas les encantó vivir en el complejo estudiantil ya que había muchos niños en el barrio y la escuela a la que fueron era excelente.

En ese primer año de universidad me volví a enamorar. Sí, he amado de nuevo y aunque al principio fue difícil, logré decirle adiós a Mario y seguir con mi vida. Claro que él siempre tendrá un lugar especial en mi alma. Además, es el padre de las niñas y hemos mantenido su memoria viva no sólo por todo lo que significó para nosotras personalmente, sino porque su vida y su asesinato no pueden ser olvidados jamás; son parte de nuestra historia y de la historia de Chile y el mundo. Sé que esto suena retórico veinte años más tarde, pero son palabras que siento muy profundamente. Además, desde un punto de vista personal, he tenido que aceptar el hecho de que aunque quiera olvidar, no puedo. Tengo una mente y un cuerpo entero con los cuales recordar. El olvido no es una opción.

Esos primeros años en el Canadá los chilenos y muchos canadienses organizamos un gran movimiento de solidaridad con Chile. Fueron años de mucha actividad: eventos políticos, peñas, conciertos, marchas. Imagínate que yo, que no había hecho una empanada en mi perra vida, tuve que aprender a hacerlas, ¡de a quinientas a la vez! Y en el '78 participé en la huelga de hambre que se hizo en todo el mundo en apoyo a los familiares de los desaparecidos en Chile. ¿Te acuerdas de esa huelga de hambre? Fueron días memorables...

...doscientas tazas de harina cincuenta tazas de manteca agua tibia mucha agua tibia baldes de agua tibia sal polvos de hornear Royal tienen que ser Royal comadrita porque son mejores los otros son una porquería menos mal que aquí también hay Royal igual que en Chile **hambre** una y amase amase amase amase amase amase amase hasta que la masa esté suave y firme a la vez pique mucha cebolla muchísima cebolla pique pique pique a cuadritos chiquititos muchas cebollas pique tanta cebolla que aunque usted esté llorando a todo lo que dé todo el mundo le eche la culpa a la cebolla y usted pueda decir cosas como mire que está fuerte esta cebolla mientras llora a moco tendido claro que asegúrese de tener un pañuelo a mano porque las empanadas con lágrimas y mocos pueden hacerle mal al público **hambre** muela el ajo bastante ajo cantidades de cabezas de ajo menos mal que aquí tenemos una molinex eléctrica sino imagínese moliendo tantas cabezas es decir cabezas de ajo en el mortero éstas son las ventajas de vivir en un país industrializado donde el estándar de vida es mucho más alto muela el ajo con los aliños bastante pimienta y comino pucha que costó encontrar comino en este país fíjese que en el super no hay **hambre** el único lugar donde venden comino es Patels allá en la calle Commercial el almacén con productos de la India ellos también deben usar comino en sus comidas pero los gringos ni saben de lo que uno está hablando aunque uno se lo diga en inglés yo miré la palabra en el diccionario pero así y todo no me entendían **hambre** fría todo en bastante manteca hasta que esté doradito ay que cosa más rica cómo estarán esas madres y esos familiares en Chile tendrán **hambre** como yo o será que pensando en sus hijos desaparecidos se les pasa el **hambre** a lo mejor yo no debería sentir **hambre** pero qué le voy a hacer si estoy requetecagá de **hambre** tengo que respirar profundo y tomar mucha agua mucha agua eso dijo el doctor mucha agua ya estoy hasta la coronilla con la bendita agua fría la cebolla con el ajo y los aliños hasta que quede doradita y agréguele la carne molida mucha carne molida kilos y kilos de carne molida **hambre** ay dios mío para qué me habré metido en este tete qué sabía yo de huelgas de **hambre** pero por qué estoy pensando así esto es totalmente antirrevolucionario cállate Laura piensa en los desaparecidos en sus familiares en sus amigos piensa en otra gente en tus hijas en tu madre no pienses sólo en ti **hambre** sí ya estoy mejor ya no tengo tanta **hambre** fue sólo un momento de debilidad fría la cebolla con el ajo y los aliños y la carne hasta que todo quede bien cocidito y bien jugoso ay qué rico agréguele un poquito de harina para que así el pino no se corra cuando haga las empanadas deje descansar no se olvide de poner a cocer los huevos mientras hace el pino necesita muchos huevos duros cantidades de huevos duros por lo menos cinco docenas de huevos **hambre** ay qué rico un huevito duro con salsita y pimienta humeando calentito con pancito tostado los huevos tienen que estar bien duros para cortarlos en tajadas mi mamá en Chile tenía un aparatito para cortar huevos duros aquí no he visto sería bueno conseguirse uno porque no tiene gracia andar cortando tantos huevos duros a mano **hambre** la masa se tiene que uslerear fina pero no demasiado fina porque o si no se rompe y se cortan redondelas para hacer las empanadas no hay que olvidarse de las pasas y las aceitunas aquí venden aceitunas sin cuesco lo que es una gran cosa porque así no hay que quebrarse una muela cada vez que se come una empanada así es que se van rellenando con el pino las pasas las aceitunas **hambre** y una rebanada de huevo duro y se cierran bien hay que mojarles la orilla con agua fría para que no se abran y después se meten al horno por unos buenos cuarenta minutos hasta que estén doraditas **hambre** y ya se van horneando y horneando por horas y horas y horas y toda la casa se calienta con el horno caliente por tantas horas y mamita por qué estás aquí vámonos a la casa no mijita no ve que estoy en huelga de **hambre** por los desaparecidos en Chile y qué es una huelga de **hambre** mamita es cuando uno no come mijita y por qué mamita no te vayas a morir tú también por favor no te mueras mamita por favor pero mijita por dios claro que no me voy a morir pero estas cosas son importantes porque así les decimos a las madres y a los familiares de los

26

desaparecidos que no están solos que hay gente en todo el mundo que está acompañándolos pero deberías comer mamita te vas a poner muy flaca y después no vas a tener fuerzas para jugar con nosotras sí voy a tener mi amor han sido sólo doce días mi amor y ya luego volveré a la casa ahora váyanse las dos con su abuelita que mañana tienen que ir a la escuela y tómense toda la leche antes de ir a acostarse la Rosita dice que están organizando una peña en apoyo a la huelga de hambre para el fin de semana se espera cantidad de gente y quieren que los huelguistas vayamos a hablar yo no sé estos días ando con mucho sueño sólo tengo ganas de dormir y dormir es raro ya no tengo hambre la gente llega a vernos y les preguntamos qué comieron hoy y no nos quieren contar y nosotros nos reímos y les insistimos ya pus cuéntanos qué comiste hoy y les da no sé qué y los seguimos molestando hasta que nos cuentan que asado molido con puré y pollo con arroz y nosotros decimos mmmmmm qué rico pero la verdad es que yo ya no tengo hambre y digo mmmmmm por decir mmmmmm porque se espera que diga mmmmmm pero no siento nada y sólo quiero que se vayan luego para poder irme a dormir el sábado es la peña en el Ukranian Hall y el Pato y yo vamos a ser los que vamos a hablar tenemos que preparar el discurso y nos van a venir a buscar a las ocho voy a tener que dormir siesta para que no me dé tanto sueño en Chile hay más de dos mil desaparecidos gente que fue capturada por agentes de la dictadura y que nunca más volvió a aparecer hay testimonios de presos que los vieron en campos de concentración centros de tortura y después nunca más nunca más nunca más sus familiares exigen una explicación y en este momento en Chile ellos se encuentran en una huelga de hambre indefinida hasta que se les dé alguna explicación nosotros nos solidarizamos con ellos y los acompañamos desde el exilio hasta la victoria siempre compañeros todo el mundo está aplaudiendo con la boca llena de empanadas por lo menos esta vez no tuve que hacer empanadas los niños andan corriendo por entre las mesas ya luego les tocará salir a cantar el duerme negrito y la petaquita y el de colores las zampoñas y las quenas suenan tan lindas me siento como sonámbula tomándome un vaso de agua mi hija más chica se me está durmiendo en los brazos ya no podrá salir a cantar con los otros niños tendrá que esperar hasta la próxima peña cómo quisiera volver a mi casa a estar con mis hijas y mi madre pero de aquí vuelvo a la Iglesia Unitaria a proseguir la huelga de hambre hasta cuándo hasta cuándo dicen que se están negociando acuerdos anoche llamamos a la Vicaría de la Solidaridad en Chile y creen que en un par de días ya se acabará la huelga sólo quedamos cuatro de los doce que empezamos el Rolo terminó en el hospital con problemas de riñón nunca nos dijo que tenía problemas con los riñones el muy bruto se podía haber muerto y los otros ya no dieron más o tuvieron que volver a trabajar menos mal que yo no he tenido que preocuparme de eso en la universidad se han portado tan bien y la Jovita no tuvo problema en reemplazarme tenemos planificado ir al consulado chileno el día que se termine la huelga y exigir hablar con el cónsul qué voy a comer cuando se acabe la huelga pero lo pienso así no más como quien pensara en llover no siento nada nada dicen que hay que irse con cuidado las veinte libras que he bajado no me quedan nada de mal ojalá no las recupere qué sueño que tengo hoy ya es domingo qué estarán haciendo en la casa seguro que comiendo panqueques a la tarde me vendrán a ver parece que la huelga ya mañana se acaba iremos al consulado a eso del mediodía mi mamá me dice que me va a hacer una cazuelita de ave suena rico pero no me hace ni pío es como si pudiera seguir sin comer por el resto de mi vida qué pasaría si no comiera más seguro que me muero cómo será morirse Mario todavía te echo tanto de menos pero ya es de otra manera no de esa manera desesperada de antes ahora te puedo conversar sin ponerme a llorar y contarte de nuestras niñas tan preciosas quién dijo que te podía conversar sin ponerme a llorar yo lo dije recién no más bueno sí todavía me pongo a llorar quizás me ponga a llorar por el resto de mis días su alteza el señor cónsul no nos quiere recibir subimos las escaleras del edificio del consulado y nos cierra la puerta en las narices las cámaras de televisión han venido saldrá todo en las noticias de la noche la demostración es grande para un día lunes al mediodía de aquí me voy de vuelta a la casa Beatriz me llevará mi mamá no pudo venir tenía que trabajar pero dijo que me iba a dejar hecha la cazuela cómo será comer de nuevo después de catorce días de puro tomar agua la verdad es que no tengo ganas mejor me duermo una siesta primero antes que vuelvan las niñas del colegio la sopita se ve rica mmmmmm qué rico sí de a poquito sólo caldito por ahora y después de la siesta puedo comer un poquito más cómo se sentirán los familiares de los desaparecidos en Chile después de esta pequeña victoria una de las primeras victorias pero uno no podría reponerse nunca de algo así sus seres queridos desaparecidos para siempre qué habrán hecho con ellos por lo menos nosotros estamos vivos y algún día podremos volver cuándo cuándo...

Santiago, 31 de octubre, 1993

Laura, Laura, Laura:

No doy más de contenta, ando como flotando desde que me mandaste decir que vienes... Me contacté con tu hermano en Valdivia y están felices esperándote, o más bien esperándolos. Me muero de ganas de conocer a tu gringo en persona aunque en la foto parece más mexicano que gringo. Me hizo mucha gracia eso de que haya nacido en Oxford de padres nacidos en la India. Tú siempre tan creativa, ahora te agenciaste a un Pancho Villa canadiense de ancestro sudasiático, nacido en Oxford... ¿Toma té a las cinco de la tarde con el dedo chico parado como la reina?

Las niñas se ven preciosas con sus sonrisas marca Arzola. Claro que ya no son niñas, sino mujeres hechas y derechas, con vidas propias y gringos propios... claro que no entiendo nada, todos estos gringos parecen ser de cualquier parte menos de Gringolandia. Los dos pololos se ven muy buenos mozos, el de padres italianos definitivamente tiene pinta de Apolo romano y el de abuelos ukranianos se ve más de acuerdo a mi idea de cómo se debería ver un gringo: rubio y de ojos azules. Bueno, haré todos los preparativos para que hagamos una reunión de las Naciones Unidas cuando hayan llegado todos... (ja,ja).

Me parece excelente la idea de que tú te vengas primero y que todos los demás lleguen un poco después. Así tendremos tiempo para reencontrarnos y copuchar. También me parece estupendo que hayas decidido volar a Lima y de ahí a Arica para después venirte por tierra para conocer el desierto. Es impresionante. Yo fui a San Pedro de Atacama por primera vez hace tres años y quedé fascinada. Desde entonces he vuelto varias veces y pinté toda una serie sobre el desierto que ya he mostrado en varias galerías con bastante éxito. La idea fue no sólo mostrar el desierto como paisaje sino también como escenario de las atrocidades de Pisagua, San Pedro, y todos los lugares donde se han encontrado restos de los desaparecidos.

Lloré mucho cuando me contaste que tu mamá murió sin haber vuelto nunca a Chile. Debe haber sido muy doloroso para ella y para todos ustedes. Me parece increíble que no la hayan dejado volver aunque sólo fuera a morir en su tierra. El odio y la deshumanidad de estos milicos no tiene fin ni tiene nombre. Pero me alegro de que al menos tu hermano haya podido ir al Canadá para acompañarla a ella y a ustedes en sus últimos días. Será un honor para mí ir a Valdivia y ser parte de la ceremonia de diseminación de sus cenizas. No habrá otra morada mejor para doña Nati que el majestuoso río Calle Calle.

Yo estoy viviendo en El Arrayán en una casita muy

monona en la pre-cordillera. Tengo un estudio con mucha luz y una vista de todo el valle del Mapocho. La falda del cerro la tengo plantada en terrazas con flores, árboles frutales de todo tipo, en fin, ¡hasta lechugas y tomates! Te va a encantar. El único problema es que queda en la cresta del mundo (aunque dependiendo del punto de vista, esto puede ser una bendición). Entonces, creo que lo más sensato será que nos encontremos en Bellavista. Hay un café muy agradable que se llama La Casa en el Aire...

Los empleados administrativos de la Escuela de Leyes de la Universidad de Chile rodean el edificio con sus pancartas. Merecemos sueldos decentes, sin nosotros la Facultad no funciona, recitan las pancartas. Apuro el paso y les sonrío. Ojalá alguno de ellos haya captado este inservible gesto de solidaridad.

De reojo admiro los aros de lapislázuli, los palos de lluvia, las billeteras de cuero de chancho, los botecitos de pescadores en miniatura con remos y redes, todo expuesto en la vereda. Estos artesanos me recuerdan a algunos de mis amigos gringos con sus pelos rebeldes y sus chalecos coloridos, sentados con las piernas cruzadas detrás de su trabajo.

Doblo la esquina a toda carrera y entro al café transpirada, sucia, pegajosa y molida. En cualquier momento se va a materializar Mireya en la puerta con su pelo al viento, su bolso mapuche cruzado sobre el hombro, su sostén talla doble C con cierre adelante que hace veinte años a mí me nadaba y a ella le quedaba de lo más bien, sus zapatos de abuela, las manos llenas de pintura y una carcajada de dientes blancos y parejos.

Paladeo el cortado grande con los ojos fijos en el umbral y apenas si noto la llegada de esta señora cuarentona con facha de hippy, el pelo canoso hasta los hombros, toneladas de pulseras tintineándole en la muñeca izquierda, las manos manchadas de color. La inconfundible carcajada ya no tan blanca ni tan pareja me remece y salto de la silla como un resorte. Me avalanzo sobre su amplio pecho y me hundo en su calor, me hundo en veinte años de ausencias, en toda una vida de ausencias, me hundo en la fuerza de Mireya, en sus sollozos. Después de todo, la vida no nos ha tratado tan mal, me dice con la cara tibia de lágrimas mientras me examina de arriba a abajo. Y a mí me dan unas ganas incontrolables de reirme y Mireya, que se ríe por cualquier cosa, no se demora nada en empezar a reirse y nos reimos y nos reimos como locas a vista y paciencia de toda la clientela de La Casa en el Aire, porque obviamente los milicos no contaban con esta buena memoria, con este amor; no contaban con estas ganas inmensas de vivir, con esta vocación por la risa.

Vamos, tenemos mucho que hacer, me dice Mireya mientras agarra mi bolso con una mano y mi brazo con la otra. Qué te parece si nos vamos al Arrayán, tocamos a la Mercedes Sosa, nuestra preferida, o al Rubén Blades (el que, a propósito, no existía hace veinte años... ¿no te fascina su música?), y nos comemos una lasaña como la que hicimos esa noche terrible que yo me quedé en tu casa porque pensamos que los milicos te vendrían a buscar y tú no querías que las niñas y tu mamá estuvieran solas, y nos pusimos a hacer masa con albahaca fresca picada y como no teníamos carne para la salsa matamos uno de los pollos de las niñitas, todo sea por las proteínas y una dieta balanceada, me dijiste tú, mañana les explicamos a las niñas y cuando prueben la lasaña seguro que van a entender pero no entendieron ni un carajo y lloraron por horas y nosotras nos sentíamos como la mierda, pero harto rica que quedó la lasaña después de todo y los milicos no llegaron, pero lo pasamos regio cocinando toda la noche...

JUEGOS Y JUGARRETAS

Oye Pilar Vallejo, te acuerdas cuando corríamos por la calle Ferrari y los barcos se veían chiquititos allá abajo en el puerto y nosotras jugando a ser las locas del barrio, corriendo como desaforadas y entonces nos parábamos en la esquina con las manos en los bolsillos y silbábamos las canciones que cantaba la Madame Butterfly después que mi hermano nos llevó al Teatro Victoria a ver la película con Mario Lanza.

Y te acuerdas de la Escuela 20 en la punta del Cerro Bellavista con su contingente de niñas blancas y almidonadas, trenzas y cintas, zapatos lustrados y soquetes con círculos de betún Nugget en los tobillos, niñas recitando el Piececitos de Niño, las tablas de multiplicar, las últimas palabras de Arturo Prat, «al abordaje muchachos», y tú parando el dedo y diciendo, señorita Graciela, yo creo que al Arturo Prat lo empujaron, y la señorita Graciela poniéndote en el rincón por insolente y yo haciéndote muecas y tirándote avioncitos con mensajes.

Y el día lunes, todas limpiecitas, incluso tú y yo,

cantando el *Puro Chile* a grito pelado en el patio de la Escuela de **Niñas** Nº 20, mientras escuchábamos a los chicos del frente, los de la Escuela de **Hombres** Nº 19, cantando el *Puro Chile* a grito pelado pero un poco más adelante o más atrás que nosotras, y se empezaba a armar el tremendo enredo y al final terminábamos todos juntos pero con la calle Sanfuentes entremedio, o el asilo contra la opresión, o el asilo contra la opresión, o el asilo contra la opresión, pa-pa-pa-pa-pa-pa-pa-pa-pa-pa-pan, CHAN-CHA-CHAN.

Quién nos hubiera visto, Pilar Vallejo, montadas en el monopatín que me regaló mi tía Luca, agarrando vuelo cerro abajo, tú adelante y yo atrás, más pegada a ti que una lapa, viendo la muralla de la casa de los Vargas venirse encima por debajo de tu brazo y gritando un sol sostenido que ya se lo hubiera querido la Madame Butterfly y tú doblando en la última fracción de segundo y siguiendo a todo full camino al plan, quién nos para ahora, Virgencita de las Cuarenta Horas, ay por qué no le hago caso a mi mamita, los ojos cerrados y todo rojo, todo rojo y tú diciendo, viste que ganamos, gallina, viste que no pasó nada... salvo mi brazo quebrado, sin codo y sin muñeca, colgando de por ahí entremedio como el estropajo de la cocina, y la imbécil de la Gloria Bobadilla diciendo te voy a acusar a tu mamá-á, te voy a acusar a tu mamá-á.

Ay, Pilar Vallejo, han pasado tantos años desde ese día en que yo quise saber de tu mamá, y tú, colorada como tomate, me decías que se había muerto y punto, y yo déle con que de qué se murió, cómo murió, y tú déle con que se murió y punto y entonces yo, curiosa empedernida y aprendiz de chantajista, te digo que si no me dices no juego más contigo, ni te presto el monopatín ni las muñecas ni nada, y altirito me arrepiento y te abrazo porque ahora tú estás llorando y me estás diciendo «de aborto», «de aborto», y yo, que no entiendo ni un carajo, te consuelo y me hago la que entiendo y lloro contigo sabiendo que no le puedo preguntar ni a mi mamá ni a nadie porque ese «de aborto» huele a secreto, a feo, a malo, y si mi mamá sabe, adiós invitaciones a la Pilar Vallejo a la hora de once con sopaipillas pasadas, adiós a las idas al cine con la Pilar Vallejo, adiós a la Pilar Vallejo y ya.

Han pasado tantas cosas desde entonces y a veces, como ahora, encerrada en las calles sin vereda de este suburbio de Vancouver, encerrada en este país-carretera, encerrada en la ausencia de la calle Ferrari con los chiquillos del barrio jugando al fútbol, al luche y al chascona date una vuelta, encerrada en la ausencia de la Panadería Ideal con sus hallullas con chicharrones a las cuatro de la tarde, encerrada en este verdor interminable de Vancouver, pienso en ti, Pilar Vallejo, y me pregunto qué habrá sido de tu vida, si te fue bien, mal o más o menos, si fuiste a la escuela secundaria, si te casaste o te arrejuntaste, si tuviste niños, si alguna vez dejaste los cerros de Valparaíso y saliste a patiperrear como yo.

A mí me ha ido más o menos. Fíjate Pilar Vallejo que estoy bajo otro cielo y otro sol, muy lejos del puerto. Mis padres, esperando al cartero en su casita de Quilpué y buscando a mi hermano, desaparecido desde el 11 de septiembre de 1973. Yo, aprendiendo a hablar de nuevo en el Canadá y tratando a toda costa de encontrarle algún sentido a la vida. Trabajo haciendo limpieza en un rascacielos del centro de Vancouver. Del piso 32 veo los barcos en la bahía, chiquititos, como los veíamos desde el cerro Bellavista, hace ya casi treinta años.

A ver si un año de éstos, cuando vuelva, te encuentro por ahí, quizás caminando por la Plaza Victoria. Nos podemos ir a dar una vuelta a ver cómo está la calle Ferrari y después te invito a un helado en el Bogarín.

A propósito, ahora sé lo que significa la palabra aborto.

MANOS

He llegado al final del camino. Mientras tú juegas en casa, hija mía, yo estoy aquí, al final del camino. Ya las radios locales se han callado. Las marchas han reemplazado los llamados de última hora y los bandos militares han comenzado a manchar con su vómito siniestro nuestros oídos, nuestras mentes. Mientras tú juegas en casa, hija mía, yo estoy aquí, al final del camino. Estamos todos aquí; amigos y compañeros, todos hemos llegado a la universidad este día primaveral fresco y transparente. Todos hemos llegado y estamos esperando. De ocho a diez me toca dar la clase de traducción; ya la tengo preparada –algunos cuentos infantiles, como *El Conejo Pedro*. Sólo que hoy no estoy esperando a mis alumnos.

Cuando chica, nunca se nos dejó tener armas de juguete. Mis hermanos jugaban a la pelota; yo jugaba a las muñecas. Claro que a veces jugábamos con las pistolas de otros chicos. Corríamos calle abajo persiguiendo a los chiquillos y tirándoles agua con las pistolas; después nos escondíamos en un callejón. Cuando llegábamos a casa, todos empapados, mi mamá nos mandaba a la cama.

Llegó Roberto..Dice que tenemos que esperar, que llegarán pronto.

Cuando íbamos a las ferias de diversiones –¿te acuerdas cuando te llevamos al Parque Bustamante en Santiago?– yo nunca podía botar los patos con ese rifle. El tiro me salía a cualquier parte, menos al pato. Lo pasábamos mucho mejor en la rueda gigante y el carrusel. Tú querías probar el rifle, pero yo nunca te dejé.

Cinco personas han ido a vigilar el puente, a esperar allá, para dar la voz de alarma.

Cuando empezamos a hablar de un posible golpe, sencillamente yo no quise pensar en eso. Nunca les creí a los que insistían en que llegaría el día que tendríamos que defendernos. No les quería creer. ¿Qué pasó con nuestro camino pacífico hacia el socialismo? Allende fue elegido por voto popular. Se supone que las Fuerzas Armadas de Chile son profesionales y su trabajo es defender el gobierno electo, no derrocarlo. Yo pensaba que estas cosas sólo pasaban en las llamadas «repúblicas bananeras», no en Chile.

Ahora nos hemos formado en fila y estamos trotando. Hacía tiempo que no trotaba. Creo que la última vez fue en el liceo, en clase de gimnasia. Es increíble cómo me he dejado estar. No puedo correr media cuadra sin cansarme. Tú estás jugando en casa, hija mía.

Dicen que son soviéticas, que ya están por llegar. Dicen que deberíamos haber estado preparados, que es una lástima, que se sabía que esto iba a pasar. Dicen que los momios están preparados. Que las han estado trayendo de la Argentina; americanas, marca Gloria. Ahora que lo pienso, eso debe ser lo que había en esas cajas que los vecinos estaban descargando de una camioneta una noche hace unos quince días. Me desperté como a las tres de la mañana porque escuché unas voces como en sordina en la calle; corrí un poquito la cortina y vi al doctor Vergara y a otros dos tipos entrando unas cajas largas a la casa.

Después del terremoto del 60, a mi papá le pasaron dos pistolas para que cuidara el colegio donde era el director. La casa nuestra estaba justo al lado del colegio. El mantenía las pistolas con llave en el aparador y nunca nos dejó tomarlas. Una noche, mi mamá escuchó unos ruidos y salió sola al jardín con una pistola en la mano. Los disparos nos despertaron. Mi mamá había matado un gato creyendo que eran ladrones.

La Mariana nos está explicando cómo se toman. Dice que la cosa es tomarlas con confianza. Dice que son livianas y fáciles de manejar. Ahora tenemos que practicar cómo tirarnos al suelo. ¿Cómo será tener una en las manos? Yo sólo sé tomar niños y libros. Tengo las manos pequeñas, suaves. A ti te gusta que con estas manos te rasque la cabeza, te haga cosquillas en la nariz, te tome y te acurruque cuando quieres dormir. Ahora estamos todos boca abajo en el pasto, haciendo como si tuviéramos una en las manos. ¿Seré capaz de apretar el gatillo?

Al otro lado del río se sienten ruidos insólitos. Tu muñeca pelada, ésa que fue mía y ahora es tuya, debe estar ya vestida; a lo mejor le estás cambiando la ropa, ¿o le estás cantando?

Los que estaban en el puente vienen corriendo. Dicen que ya vienen, que están cruzando el puente. Cuesta mucho oír, el estruendo es feroz, la tierra tiembla. Tenemos que estar listos. Nos formamos en fila para recibirlas. En el cielo, los helicópteros de los milicos parecen libélulas con ojos gigantescos que nos observan. La ciudad gime al otro lado del río.

Ya se pueden ver en la avenida de los álamos. Ya se pueden ver los tanques americanos en la avenida de los álamos. Los tanques americanos han tapado todos los accesos. Los tanques americanos han llegado al final del camino. Insectos verdes se arrastran por el asfalto, con metralletas americanas en las manos. Tenemos que correr al río. Con las manos vacías hay que correr al río. Quizás alcancemos a tomar una lancha, quizás no disparen, quizás nos concedan el derecho a la vida.

Con las manos vacías corro cuesta abajo, llego a la orilla y me lanzo a la lancha ya en marcha. Las balas me pasan silbando por el lado y dan contra el agua. Me agacho, tratando de encontrar alguna protección, como en las series policiales de la *tele* que a veces miramos juntas. Pero ésta no es las *tele* y yo no soy un delincuente.

Roberto yace a mis pies, en el fondo de la lancha, su camisa blanca empapada en sangre. Oigo los quejidos de Mariana detrás mío. Una bala le perforó el muslo. Miro las caras familiares de la docena de personas que me rodean, buscando alivio. Sólo encuentro pena y miedo. El sonido de mis propios sollozos me trae de vuelta a mi propio cuerpo y siento el calor y el peso del brazo de Carlos en mis hombros.

Pienso en los años que vendrán, en las promesas que te hice, hija mía, en la vida mejor que quisimos construir para ti y para todos los niños chilenos. Entonces te hago la última promesa de todas: mañana, cuando estemos listas nuevamente para recuperar la vida y el futuro, nuestras manos no estarán vacías.

43

CANTO, LUEGO EXISTO

Pujó con todo: piel, dientes, uñas. Empapada de océano, sintió que una ola telúrica la abría de cuajo y se desprendía, cabeza abajo. Su voz llamó a su madre, pero le contestó el llanto ensangrentado de su hijo, redondez perfecta y oscura. Sintió que se lo ponían en el pecho, suave, cálido, suyo. Su hijo. Se rió, liviana, mientras sus manos exploraban la miniatura de los dedos, el pegajoso escobillón de pelo negro. Cerró los ojos y se durmió, aliviada.

La despertó un dolor rotundo en la pierna derecha. La oscuridad del bosque se llenaba de crujidos. El río la llamaba con sus voces de niños que juegan, de perros que buscan. Cantó con toda el alma: *gracias a la vida que me ha dado tanto*. Cuando el reloj le dijo que eran las seis, se arrastró hasta el río. El agua le dió la bienvenida con su techo claro y la frescura de las piedras. Bebió hasta hartarse, boca abajo. La pierna no la dejó pararse y ahí decidió que no podía seguir. Se iba a morir. Se iba a morir en la Cordillera de los Andes, la monumental, la implacable, amiga y enemiga. Se iba a morir sin cumplir su tarea. Sus compañeros no sabrían dónde estaban escondidas las armas. Lloró con los pájaros, empecinados en recordarle que la vida de los otros continúa cuando uno se muere. Su hijo aprendería a leer sin ella, se enamoraría sin ella. Seguiría viviendo sin ella.

Logró sentarse y tanteó la protuberancia y la hinchazón en la canilla. El dolor se extendió por su cuerpo a borbotones. Estudió el mapa, la brújula. No estaba lejos. Quizás seis horas más de caminata. Pero, ¿qué haría si se encontraba con otra masa rocosa como la que le había ocasionado la caída? No, no llegaría nunca. Se acordó de Jack London y de Cortázar. Lo único que le quedaba por hacer era morir con dignidad. Se acomodó, cara al sol, y se dedicó a ordenar su vida. Concluyó que una computadora le habría servido mucho para recortar, editar, cambiar de espacio, de tiempo, poner los puntos sobre las íes. Llegó al final. Justo antes del final. El suéter amarillo para su hijo. El suéter amarillo que ahora descansaba, sin mangas, en el canasto de los tejidos, al lado del sillón. ¿Quién le iba a terminar las mangas al suéter amarillo de su hijo? Nadie.

Se sacó la parca, la chomba, la camiseta. Con la camiseta hizo vendas largas y se amarró la pierna. Se puso la chomba, la parca. Su mano alcanzó una caña que flotaba despreocupada en el río. Se paró y empezó a caminar. Tenía que vivir para terminarle las mangas al suéter amarillo de su hijo.

Caminó con el agua hasta la cintura, los ojos nadando en salmuera, lo único tibio en esa geografía. Sintió el cielo oscurecerse de nubes sobre su cabeza, la lluvia metérsele por el cuello, las orejas. Siguió caminando. Llegaron los truenos, los relámpagos. Siguió caminando. Vió árboles gigantescos, helechos prehistóricos. Siguió caminando. Ya podía sentir el punto de encuentro en el mapa, en el bosque, al lado del río. Siguió caminando, soñando con los abrazos del Rulo, la Flaca, el Negro, sus compañeros.

La recibió la bofetada de un hombre de uniforme.

Se sintió caer por un abismo de hielo. La despertó un dolor agudo entre las piernas, una incisión hecha latidos, subiéndole por la espalda. Abrió los ojos. Los focos de la sala de tortura la cegaron. Llamó a su madre. Le contestó la voz gangosa de un hombre: tu mamita no está aquí, Lorena. Estoy yo, tu papacito rico. Canta, Lorena, canta. ¿Dónde están las armas? Cantó con toda su alma: *Gracias a la vida que me ha dado tanto.* Cantas lindo, le dijo la voz; pero ésa no es la canción que queremos. La descarga eléctrica le quemó el pecho izquierdo y se extendió a carcajadas por su cuello.

Soñó que su madre la llevaba de la mano por las nubes hacia un naranjo lleno de fruta. Su hijo estaba sentado en una rama, pelando una naranja. Ella lo tomaba en sus brazos y él le iba poniendo la naranja en la boca, gajo por gajo, mientras ella caminaba, detrás de su madre. Su hijo tenía puesto el suéter amarillo, sin mangas.

Abrió los ojos y desde el techo vio a una mujer desnuda, sentada a horcajadas en las piernas de un hombre uniformado con el pantalón abierto. Las manos del hombre le amasaban las nalgas y la boca le mordía los pezones. La mujer le parecía conocida, pero le faltaba la pierna derecha. La mujer gemía, los brazos le colgaban, inertes, y el pelo, un pelo oscuro, le caía hasta los hombros. La tomó en sus brazos. La mujer tenía frío. La acurrucó, la meció, la abrigó. La besó con dulzura en la nariz, las mejillas. Se durmieron entrelazadas.

La despertó la radio a todo volumen y la voz gangosa del hombre del pantalón abierto: esta puta no canta, mi teniente. A lo mejor esta puta no es la que sabe, mi teniente. Ya no sabemos qué más hacerle, mi teniente. Yo creo que no sabe.

No sabe. No sabe caminar con muletas. Ya no tiene la pierna derecha, pero todavía le duele. Está viva. *Duelo, luego existo.* La esperan su madre, su hijo y el agregado cultural de la embajada. Un auto con patente diplomática seguido de un jeep militar los lleva al aeropuerto. Allá abajo queda la largueza de su país, enmarcada en el agua salada del Océano Pacífico y la muda estatura de la cordillera. En el bolso de mano va el súeter amarillo, sin mangas. Su hijo necesitará las mangas antes de que llegue el invierno al Canadá. Allá hace mucho frío. Cierra los ojos y teje y teje, sintiendo el calor de su hijo dormido en su pecho, y la mano de su madre, acariciándole el pelo oscuro que le cae hasta los hombros.

AGUJERO NEGRO

El problema de la Estela de Ramírez cuando llegó al Canadá fue que no tenía de qué agarrarse. Cuando más, de alguna foto de un *National Geographic* del año del rey perico mostrando montañas con nieve y unos lagos azules con un hotel que parecía castillo –o a lo mejor se estaba confundiendo con unas fotos de Suiza...

No era como si le hubieran dicho, mira Estela, mañana te vas a Buenos Aires. Si le hubieran dicho Buenos Aires, la Estela habría pensado en la Evita Perón, en el River Plate, en un buen asado a la parrilla, en el «y llovía, llovía...», tal como lo cantaba el Leonardo Favio con esa voz tan masculina... O se habría puesto a tararear un tango y se habría dicho cosas como, me voy a ir a dar una vuelta a la calle Corrientes a ver qué hay en el número 348, o mañana voy a ver la calle Florida y el Obelisco. La cosa es que habría pensado en algo.

Incluso, si le hubieran dicho, mira Estela, mañana te vas a Inglaterra, habría pensado en la reina Isabel con un vestido celeste escotado, tomando el té con el dedo meñique parado, tal como aparecía en la revista

Para Ti, y se habría acordado de su mamá diciendo, mira si no andarán mal las cosas cuando ahora hasta la reina muestra los senos.

Pero cuando a la Estela de Ramírez le dijeron que mañana se iba al Canadá, no se le ocurrió nada. El Canadá. Y cuando sus hijas le preguntaron, mamá, mamá, ¿cómo es el Canadá?, la Estela de Ramírez les dijo, es un país muy grande en la otra punta del mundo. Claro, porque si se ponía a decirles que tenía montañas y lagos y nieve, capaz que las niñas se esperanzaran y ahora que lo pensaba mejor, parece que esas fotos del *National Geographic* eran de Suiza... Entonces les dijo, ahora niñas, tengo mucho que hacer así es que vayan a preguntarle a su papá. Y ahí no más se acordó que las niñas no podían preguntarle a su papá porque el papá estaba en la cárcel y mañana, después de diez meses, lo iban a ver por primera vez en el avión al Canadá. Y a la Estela de Ramírez no se le ocurrió nada mejor que ponerse a llorar con esa clase de llanto que parece mezcla de hipo con ataque de risa. Entonces las niñas se pusieron a llorar igual que su mamá y las tres lloraron y lloraron, sentadas en las maletas, rodeadas de un desorden lleno de ecos en la casa de la calle Catedral abajo, en el barrio Quinta Normal, con la cabeza llena de este agujero llamado Canadá.

Las tres lloraron de nuevo cuando la abuelita sacó su pañuelo blanco y les empezó a tirar besos mientras ellas subían la escalera del avión, las niñas con sus vestiditos de organza y sus zapatos de charol y la Estela con su traje sastre y los tacones negros. Y lloraron todavía más cuando vieron al Manuel Ramírez, flaco y demacrado, pero todo compuesto y con una gran sonrisa, sentado en el asiento 20 C de la clase económica de la Canadian Pacific, esposado al mango del asiento. Los asientos 20 A y 20 B eran para la Estela y las dos niñas, la más chiquitita habiendo pagado medio pasaje y teniendo que sentarse en la falda de su mamá.

Al Manuel Ramírez le sacaron las esposas justo antes de que saliera el avión y por primera vez desde la noche del 2 de octubre de 1973 pudo abrazar a su familia. Las niñas se le encaramaron por todos lados y la Estela no se cansaba de besarle la cara y el cuello y hasta se le hubiera subido encima a pesar del traje sastre, los tacones negros, la nariz arrugada de la vieja del 21 C y la carraspera del tipo del 20 D, si no hubiera sido porque la azafata anunció que todo el mundo debía permanecer en sus asientos y ajustarse los cinturones porque el avión estaba despegando. Abajo quedaba un Santiago en miniatura mientras el agujero llamado Canadá iba tomando posesión del estómago, el pecho, la garganta, la cabeza, la boca y los oídos de la Estela de Ramírez.

Esto se hizo evidente cuando llegaron a Vancouver y se percató de que cuando abría la boca no le salía nada, ni siquiera el *this is a table and that's a chair* que le había enseñado la Miss Soto en el Liceo 2. Tampoco entendía un carajo de lo que le decían. Por lo menos se contentó con que Vancouver sí tenía montañas y bastante agua, aunque nada de nieve. Pero mientras más lo pensaba, más le parecía que las fotos del *National Geographic* eran de Suiza...

Los primeros días en el Ace Motor Hotel fueron de lo más extraños: pasillos interminables con alfombras rojas con rombos negros, un olor a mezcla de pies sudados y papas fritas, y puertas a ambos lados abriéndose de vez en cuando para dejar salir sonidos y caras inescrutables venidas de quién sabe qué latitudes. La pieza, pagada por el Departamento de Inmigración, tenía dos camas grandes, una para el matrimonio y otra para las niñas. Pero cada noche terminaban todos acurrucados en una sola cama, tiritando de frío, a pesar de que ya se habían enterado de que agosto es pleno verano en Vancouver.

Después de una semana, la Estela de Ramírez ya sabía unas cuantas cosas sobre el Canadá: que el correo estaba a la vuelta de la esquina y las cartas a Chile costaban veintitres centavos. Que el cartero llegaba al hotel a eso de las once de la mañana y que todas las caras inescrutables del pasillo se concentraban en la puerta del hotel y se le tiraban encima hasta que el tipo de la recepción se ponía a gritar como un energúmeno, agarraba todas las cartas y las repartía dándose aires de Viejo Pascuero. Que cuando alguien la miraba y parecía dirigirle la palabra, ella podía decir *no speak english* y la dejaban tranquila. Que en Vancouver no había plaza y por lo tanto no había banda que tocara en la plaza los domingos al mediodía. Que las playas de Vancouver no tenían olas. Que la costa chilena era más linda. Que las montañas de Vancouver eran bien bonitas. Que los Andes eran más grandes y más bonitos.

En esas primeras semanas en el Canadá, la Estela

de Ramírez empezó a soñar el mismo sueño todas las noches: su tía Lina, la que había tenido el accidente el año pasado, iba sentada en el asiento delantero de la liebre Castillo Velasco cuando con el rabillo del ojo veía un inmenso camión venírsele encima a toda velocidad. La tía Lina gritaba cerrando los ojos, y cuando los volvía a abrir, la Estela de Ramírez sabía que no era la tía Lina la que había estado sentada en el asiento delantero de la liebre Castillo Velasco, sino ella, la Estela, cayendo ahora con colectivo y todo por un agujero negro llamado Canadá, sin tener de qué agarrarse, ni un escote, ni una melodía, ni el nombre de una calle, nada, ni siquiera las fotos del *National Geographic* del rey perico con montañas, lagos y nieve, porque ahora, mientras caía y caía, se acordaba bien de que esas fotos eran de Suiza. Ahora estaba totalmente segura de que no eran del Canadá.

Vancouver, 19 de abril, 1980

Queridísima mami:

¿Cómo están todos? Hace como una semana que me llegó tu carta. Parece que se demoró cinco días no más. No está mal, ¿verdad? Todavía me cuesta creer que allá están en otoño, mientras que acá ya llegó la primavera. El tiempo ha estado lindo y la ciudad se ve preciosa con sus montañas nevadas, el cielo tan azul, cantidad de barquitos a vela en el mar y cuadras y cuadras de cerezos en flor. Me encanta llevar a las niñas al Parque Stanley los domingos y mostrarles todas las flores, en especial los tulipanes que son tan espectaculares. Yo siempre pensé que el tulipán era la flor nacional de Holanda, ¿cierto? Bueno, al menos eso es lo que sale en las revistas. Pero aquí también se da y no creo que los tulipanes de Holanda sean más lindos que los nuestros.

Nosotros estamos lo más bien, y Manuel contento como un niño en una juguetería. Indudablemente lo mejor que pudo hacer fue instalar su taller propio. Es tan buen mecánico que no le ha costado nada hacerse de una buena clientela, así que no hemos tenido ningún problema con el pago de las cuotas. ¿Te dije qué nombre le pusimos al taller? Se llama *El Cóndor* y el logo tiene un cóndor negro de collar blanco con las alas extendidas volando por encima de la cordillera. La Toya lo diseñó y también pintó el letrero. La Toya es esa amiga que te contaba que trabajó como ilustradora de libros infantiles en Quimantú. Apenas podamos te mandaremos una foto. Las niñas están muy contentas y muy orgullosas de su papi. Les encanta ir de visita al taller y quieren saberlo todo: que las herramientas, que los clientes, que los autos, en fin. ¡Capaz que quieran ser mecánicas cuando sean grandes!

El Manuel quiere que yo deje de trabajar y que le ayude con el papeleo en el taller. Pero ni amarrada. A mí me encanta mi trabajo y no tomé cursos por dos años para terminar haciendo el papeleo en el taller de mi marido, ¿no te parece? El dice que yo tendría más tranquilidad, pero lo que no entiende es que a mí me encanta trabajar con niños y además no tengo ningún interés en dejar de cobrar mi sueldito mensual por nada del mundo. Bueno, en todo caso, hay ratos que me saca de mis casillas. Yo creo que el único motivo por el que estuvo de acuerdo con que yo siguiera estudiando fue por la situación económica. Y ahora piensa que porque él puede sostener a la familia sin la ayuda mía, ¡yo debería dejar de trabajar en la guardería y ayudarle a él con **su** trabajo!

Las niñas siguen creciendo como maleza y poniéndose cada vez más lindas. Bueno, al menos así las veo yo. Claro que en estos días ando con un poco de pena porque la Natalia ya no quiere tener trenzas y me ha estado molestando con que la lleve a cortarse el pelo. ¿Qué piensas tú? Tiene tan lindo pelo, y tanto, que sería un crimen cortárselo. Y la Panchi, la copiona, ¡ahora ella también anda diciendo que se quiere cortar el pelo! No sé qué hacer.

Tres días atrás la Panchi llegó llorando a la casa y no había manera que me dijera qué le pasaba. Finalmente me gritó que me odia, que odia a su papá y a toda la familia porque todos somos morenos y tenemos el pelo negro y los ojos café y por eso que ella también es morena. Mira lo que me dijo: ¡quiere ser blanca y rubia y tener los ojos azules! ¿Te imaginas? Casi me dio un ataque al corazón. Yo estaba en tal estado, que no supe qué decirle. La miraba con la boca abierta y no me salía nada. Entonces la tomé en brazos, la llevé al baño y la hice mirarse al espejo. Hice que me dijera de qué color tiene la piel, el pelo y los ojos. Le costó decirme «morena», o «negro», o «café», y no te imaginas el desprecio con que lo dijo. Después de cada palabra yo le dije: sí, tú eres morena porque eres chilena, y eres linda. ¿Me escuchas? ¡Eres linda!

No sé si habré hecho lo correcto, pero todavía me

duele el pecho cuando me acuerdo de la mirada en sus ojitos, tan llenos de odio por mí y por sí misma. Después de un rato se puso a llorar y se pegó una buena llanteada en mis brazos. Sí mamá, yo también lloré con ella, a pesar de que tú me has dicho que debo ser fuerte y no llorar delante de las niñas. Pero me sentía tan mal que no pude evitarlo. En todo caso, en el último par de días ha andado de lo más contenta, así que supongo que ya se está sintiendo bien. A mí me va a costar un tiempo llegar a sentirme bien.

Bueno, esta parece novela en vez de carta. Ya es tarde y mañana me toca el primer turno en la guardería así que me tengo que levantar a las seis. Yo sé que para ti levantarse a las seis no es ningún sacrificio, pero para mí sí, así que me despido. Dile al ingrato de mi hermano que me escriba o al menos me mande una tarjeta de vez en cuando. Saluda a la tía Lina, a doña Olvido, al Sr. Orozco y a Gino. ¿Cómo anda de salud la tía Lina? Me da mucha nostalgia cuando me pongo a pensar en todos ustedes y en el barrio, sobre todo ahora que allá es otoño y los árboles en la Quinta Normal están botando sus hojas secas. Seguro que esta noche voy a soñar con eso.

Escríbeme luego. Abrazos y besos de tu yerno y de tus nietas.

Y un abrazote especial y muchos besos de parte mía, tu hija,

Estela

P.D. Te estoy mandando unos dibujos del Parque Stanley que hicieron las niñas. Están lindos, ¿verdad?

1º de julio, 1980

... Aló, sí operadora, una llamada de larga distancia a Chile, por favor... sí, Santiago... siete tres cinco uno cuatro... sí, cinco números no más... bien, gracias... Mami, mami, hola, soy yo... No, no, todo está bien... Sí, todos estamos bien... Las niñas también... Sí, Manuel está terminando un trabajo en el taller... Sí, le va muy bien... Y tú, ¿cómo estás tú?... Qué bien, ¿y Renato?... Pero mamá, tú sabes que él es así... No puedes seguir controlándolo así mamá, ya es adulto... Sí sé que todavía vive en la casa, pero... Bueno, mamá, escucha... Hoy nos hicimos ciudadanos canadienses... Mami, no te pongas así... No hay ninguna razón para que te pongas así... Aquí es donde vivimos.... Claro que sí, alguna vez, pero sabes muy bien que por ahora no podemos ir ni de visita... ¿Por qué crees que no te había dicho antes? Por esto, porque sabía que ibas a hacer una tremenda escena y no sólo eso, ibas a tratar de aportillar todo. Por eso... Mamá, uno no deja de ser quién es porque se hace ciudadano canadiense... Además, ahora puedes venir a quedarte un tiempo con nosotros, ahora que somos ciudadanos... Mamá, dije por un tiempo, no para siempre... Bueno, por lo menos unos meses... Es sumamente caro y además es un tremendo viaje... Tú sabes que nos gustaría mucho que vinieras... Las niñas están todas entusiasmadas... Sí, están orgullosas de haberse hecho ciudadanas canadienses... Sí, mamá... Sí, sí les hablé de lo que significa ser chileno... Sí... Bueno, ahora dicen que son chileno-canadienses... No, no ha vuelto a mencionar lo de ser rubia... Sí, las dos tienen el pelo corto... Les queda bien... Les encanta... Está bien, mami... Tenemos que adaptarnos y aceptar las cosas como son... ¿Que cómo me siento yo?... Bien, creo... Sí, me da pena, pero una parte mía también se siente orgullosa... Ya pues mami, ¿para qué me preguntas si no quieres oír la respuesta?... Mami, ya pues, no llores... No, no me he olvidado de mis raíces ni de mi historia, mami... Las cosas no tienen que ser blanco y negro... Mamá, las cosas **no** son blanco y negro... Sí, me costó pero ahora me gusta vivir aquí... Mami, también me gustaría vivir allá, por supuesto... Sí, mami, algún día volveremos... ¿Tú crees que yo encontraría trabajo en una guardería?... Esa es buena idea... Sí, una guardería bilingüe... Pero mamá, dejémonos de payasadas. Pensemos en esas cosas a su debido tiempo... Sí, creo que podría llevarse todo el equipo... Pero mamá, ¿para qué seguir hablando de estas cosas? Ya sabes que no podemos volver y que acabamos de hacernos ciudadanos canadienses... Mamá, aquí es donde vivimos, aquí tenemos nuestras vidas... Escúchame ... ¿Te gustaría venir?... Bien, entonces qué te parece para la Navidad... Sí, la Pascua... Bueno, los papeles seguro que se demoran un tiempo... Sí, te podemos mandar todo por correo rápido para que no se pierda... Bueno, sí, es caro, pero peor sería que se perdieran los papeles... Sí, hay trámites que tienes que hacer tú allá en la embajada... Sí, nosotros tenemos que hacer trámites acá también... Claro que te vamos a mandar el pasaje... Apenas sepamos qué es lo que tenemos que hacer... Bueno, escucha, esta llamada está saliendo un dineral... Entonces lueguito te mandaremos los papeles, ¿ya?... Sí, te voy a escribir... Gracias, ya me había resignado a que no nos ibas a felicitar... Sí, me imagino que te dan más ganas de darnos el sentido pésame... Mami, no te preocupes... Sí, a él le parece bien... Es bueno para el negocio, ¿me entiendes?... Bueno, ahora tenemos que despedirnos... Mamá, eso te lo cuento en la carta, ¿ya?... Bueno, rapidito entonces, las niñas se pusieron unos vestiditos de algodón en blanco y rojo y chalitas y yo me puse un vestido de seda azul... Mamá, ¿cómo se iban a poner los vestidos de organza?... ¡Han pasado seis años, mamá!... Mami... Sí, sí los guardé... No, ahora no tienen zapatos de charol... No, sin soquetes... Es verano aquí ahora... Sí, tacos altos... Rojos... Terno y corbata... Yo sabía que eso te iba a gustar... Bueno mami, tengo que cortar... Sí, yo también te quiero... Si, sí... Cariños para todos... Bueno, hasta pronto... Chao...

Santiago, 19 de febrero, 1981
Mi muy querida hija:

Seguramente piensas que soy una ingrata, partiendo de Vancouver tan así como así, pero no sé mijita, me sentía como prisionera, no podía hablar con nadie, ni siquiera con mis propias nietas, no podía hacer mis compras, todo tan distinto, ¿me entiendes?

También me dio mucha pena ver cómo han cambiado todos ustedes, a las niñas ya ni siquiera les gusta lo que cocino, todo lo que quieren es esa porquería de hamburguesas... Yo creo que no es bueno, Estela, no deberías dejarlas que coman lo que quieran no más, no es bueno para la salud. ¿Por qué no cocinas cazuela o salpicón? Esos son platos saludables, mija, deberías tratar de que a las niñas les gusten.

Tu casa es muy bonita, pero tú sabes que a mí nunca me han gustado las cocinas eléctricas, al menos en las cocinas a gas se ve la llama. Era tan difícil cocinar en esa cocina, parecía que todo me salía desabrido. Quizás sólo sea mi imaginación, pero no pude acostumbrarme a cocinar en esa cocina. Mija, también he estado pensando que esas alfombras de pared a pared no pueden ser buenas con todo el polvo que se acumula y además, la alfombra puede servir de criadero de quizás qué bichos. Creo que deberías averiguar bien.

Hija, estoy tan orgullosa de ti, de cómo hablas inglés tan bien, manejas tu propio auto y tienes tu trabajo y todo, pero yo creo que las niñas y Manuel te necesitan en la casa, ¿no? Ahora que él tiene su propio taller y gana bien, quizás tú podrías descansar un poquito y ayudarle a él. Siempre andas tan llena de cosas, corriendo para todos lados, y después limpiando la casa y cocinando, es demasiado para una sola persona. Piénsalo, Estelita, piensa en tu salud. Tus hijas te van a necesitar por muchos años más.

Bueno, claro que acá todo el mundo se sorprendió de verme de vuelta tan pronto, creen que Canadá es el paraíso, no pueden entender que no me haya querido quedar. Siento una pena muy honda, la gente no entiende el significado de la palabra «exilio». El pelo de Manuel, totalmente blanco, y el dolor que tú llevas en los ojos, hija, no quise decirte nada cuando estuve allá, pero no puedo guardármelo más. El dolor en tus ojos me persigue. Te ves bien, pero tus ojos están tan tristes. Yo te conozco, Estela, por algo eres mi hija, y sé que algo murió adentro tuyo.

Ay Dios mío, es tan difícil no odiar a estos milicos desgraciados cuando se lleva tanta pena adentro, toda una generación criada en otros países, con otros valores, con otros idiomas. Mis dos nietas, mis preciosuras, ya no quieren hablar castellano ni siquiera con su propia abuela, y están creciendo sin sus abuelos, sus tíos y tías. Yo sé que tú sabes todo esto, hija, pero ahora yo también lo sé, sé lo que significa. Cuando me enamoré de tu padre, cuando te tuve a ti y a Renato, cuando murió tu padre, cuando nacieron mis nietas, nunca pensé que nuestra familia estaría separada de esta manera. Ay Dios, es tan difícil no odiar a los desgraciados. Tanto dolor. Tanto.

Estelita, ni siquiera sé si te voy a mandar esta carta, quizás sea mejor que no, pero también siento la necesidad de decirte cómo me siento. Fui tan feliz cuando joven, me encantaba salir a andar en bicicleta, me reía todo el tiempo, hacía todo lo que mi madre me decía con tal de que me diera permiso para ir a andar en bicicleta. Pero la vida es tan dura, te endurece, te pone mala. Fui capaz de criarte a ti y a Renato prácticamente sola, después del infarto que se llevó a tu padre (que en paz descanse), pero nunca pensé que terminaríamos en los dos extremos del mundo.

Supongo que debería estar agradecida de que estamos todos vivos y que estamos bien. Sí, estoy agradecida. Sí, ya me siento mejor, mija. Perdóname por no poder quedarme más tiempo para ayudarte y para estar contigo. Tú sabes que yo te quiero tanto, lo mismo a Manuel y a las niñas. No sé qué me pasó.

La Lina está bien, al igual que todos los demás en el barrio. Renato mantuvo la casa bastante decente. ¡Incluso se acordó de regar las plantas!

Por favor escríbeme luego. Ya puse las fotos de la Pascua en un álbum y lo tengo en la mesita del living para que todos las vean. Todo el mundo dice que ustedes se ven regio. Nadie puede creer lo altas que están las niñas. Hija, perdóname por no poderme quedar más tiempo. Espero que me entiendas. Abrazos y besos para Natalia, Panchi, Manuel y todos los chilenos que conocí por allá. También para Linda, tu vecina. Lástima que no podía hablar con ella. Un gran abrazo para ti, mi hija preciosa. Tu madre,

Maura

P.D. Estuve buscando en las cajas que dejaste aquí pero no pude encontrar ese *National Geographic* que me pediste. Parece que hubiera artículos sobre todos los países del mundo, menos del Canadá. Pero voy a seguir buscando por si acaso.

23 de abril, 1987

Aló... aló... Natalia, ¿eres tú?... Sí, tu abuelita ... tu abuelita... sí... de Santiago, por supuesto... dije que de Santiago, por supuesto... Ya eres toda una señorita, Natalita... Dije que ya eres toda una señorita... No importa... ¿Está tu mamá?... Sí, tu mami... Aló... ¿Estela?... Hola, mijita, ¿cómo están todos?... Sí, bien... Bien también... Natalia ya es toda una señorita... Claro que sé que va a cumplir diecisiete este año... Estela, Estelita, escúchame, estoy tan emocionada... Bueno, escucha, les tengo una gran noticia a ti y a Manuel... ¡Los sacaron de la lista negra!... ¡Dije que los sacaron de la lista negra!... ¡Sí, claro que estoy segura!... ¡Está en el diario de hoy, Estela! Publicaron los nombres de toda la gente que sacaron de la lista negra... Sí... ¡Ahora pueden volver!... Aquí la tengo, Estela, escucha... Número 2.637: Ramírez Esquivel Manuel Armando... y tú... déjame ver, te tengo marcada aquí en el diario... aquí estás... con tu nombre de soltera... Número 865: González Reyes Estela del Carmen... Estela... Estelita... ¡Di algo, por el amor de Dios!... ¿No estás contenta?... Ay, mi linda, ¿estás llorando?... Ay, no llores, mi amor... Ay, cómo quisiera estar ahí para acurrucarte y consolarte como cuando eras chiquitita... Sí, mi amor, ahora puedes volver a tu país, después de trece años de exilio, puedes volver... Bueno, fue por toda la alharaca de la visita del Papa... Sí, parece que les dijeron que tenían que hacer algo sobre la situación de los derechos humanos si querían que viniera el Papa... Sí, también dejaron en libertad a algunos presos políticos... Bueno, eso es lo que dice el diario... *La Tercera*... Claro que es verdad, Estela. La Lina dice que ella también lo leyó en *El Mercurio*. Y está en todos los noticiarios. En la tele también... Sí, están todos aquí... Bueno, todos vinieron de visita... Sí, todo el mundo está muy contento... Bueno, la Lina vino, y la señora Olvido, y Renato, por supuesto, y Gino... el señor Orozco va a venir en un ratito... Bueno, querían celebrar conmigo... Sí, hice una tortita... ¿Ya llegó Manuel del trabajo?... Bueno, sí... ¿Manuel? ¿Manuel? ¿Eres tú?... Bien, mijo... ¡Qué buena noticia!, ¿no?... Hoy, hoy no más... La Lina me llamó para contarme y entonces Gino se apareció con *La Tercera*... y ha estado en todos los noticiarios y en la tele a la hora de almuerzo, y... Sí, cuando quieran... Escuchen, la Lina trajo una botella de champaña, escuchen el corcho... ¿Escucharon? Díle a la Estela que tome el otro teléfono... Ahora vamos a brindar... Salud... salud por el retorno... ¿Oyeron los brindis?... Sí, todo el mundo está muy contento por ustedes... Entonces, ¿cuándo piensan que se pueden venir? Yo podría ir averiguando lo que pueda... En cualquier parte del mundo se necesitan buenos mecánicos, ¿no?... Sí, claro que entiendo... Sí, Estelita, y tú podrías instalarte con tu guardería bilingüe... Sí, hija... Bueno, todo el mundo está vuelto loco aquí... Claro que sí, piénsenlo... Y avísenme cuando tengan fecha... Sí, claro que entiendo, sí entiendo... Ustedes saben que aquí tienen su casa por todo el tiempo que necesiten... Bueno, es para que sepan pues... Bueno... Manuel... Estela, hija, dale mis saludos a la Panchi... ¿Cómo irán a tomar la noticia las niñas?... Sí, ya veremos... Sí, claro... No, no hay apuro... Tienes razón... Bueno, todo el mundo les manda muchos cariños... ¿Los oyen?... Bueno... A mí todavía me cuesta creerlo... ¿Y a ustedes?... Ya, bueno, cariños... Sí, yo también te quiero, mi linda... Felicitaciones... Bueno, ¡porque ahora pueden volver!... Sí, felicitaciones para ti también, Manuel... Cariños a todos... Chao... Chao...

Cuando a la Estela de Ramírez le avisaron que podía volver a Chile, le entró una mezcla de excitación y espanto, ansiedad y nostalgia. Los diarios ataques de llanto le empezaron la misma noche de la llamada de su madre. Esa noche lloró por horas en el hombro de su marido, ante los asombrados ojos de sus hijas, que no supieron qué hacer para consolarla.

Esa noche también soñó que caminaba en enagua por la Plaza de Armas de Santiago, de la mano de su madre, mientras escuchaban al Orfeón de Carabineros un domingo al mediodía. La plaza estaba llena de gente luciendo sus mejores galas, niños de camisas blancas y pantalones de franela, copetes engominados y zapatos lustrados, y niñas de vestidos de organza y zapatos de charol, cintas de mariposa sujetándoles el pelo. Estela miraba a todo el mundo y en cada cara creía reconocer a alguien que había conocido hacía mucho tiempo. Pero cuando se acercaba a saludar, se daba cuenta de que se había equivocado y que en verdad no, ésa no era doña Margarita, la dueña de la verdulería *Río Claro*, esa otra no era la Ramona, su compañera de curso en tercero de humanidades.

Pensaba que ya estaría por salir la misa de once de la Catedral Metropolitana y que entonces sí que saldría la gente que ella conocía. Pero cuando miraba al frente de la plaza, en vez de ver la Catedral de Santiago, veía el edificio de la Municipalidad de Vancouver, con su reloj dando las doce y el jardín lleno de tulipanes. Estela sentía una excitación extraña y volvía la cara para decirle a su madre, mira mami, ésa es la Municipalidad de Vancouver, pero su mami ya no estaba con ella y el calor en su mano era en verdad la mano de un milico que caminaba distraídamente a su lado. Se despertó llorando a gritos y Manuel Ramírez tuvo que acunarla como a un bebé por el resto de la noche.

De día, mientras jugaba con los niños en la guardería o manejaba por el tráfico de Vancouver, se esforzaba por recordar lugares, caras, olores, colores, acentos. Pero nunca lograba la claridad que buscaba. Todo se le aparecía borroneado, pálido, distorsionado. Cuando pensaba que sí, que así era la calle Monjitas, se daba cuenta de que no estaba segura si ese café estaba en verdad ahí, o en la calle Main. Cuando trataba de distinguir en su memoria el olor apetitoso de un asado al palo, se le aparecía el olor de las hamburguesas del Burger King. Cuando creía que ya había encontrado la cara de la Miss Soto, la profesora de Inglés del Liceo 2, se le metía entremedio la nariz filuda de Mrs. Cheung, su supervisora en la guardería.

Esas primeras semanas después de la llamada, la vida de Estela transcurrió en una niebla espesa. Como de costumbre, el Manuel Ramírez salía al taller temprano por la mañana, pero no volvía hasta muy tarde, diciendo que tenía una cantidad enorme de trabajo. Cada noche, Estela lo esperaba con cazuela, charquicán, salpicón, pancutras, chupe de queso, pastel de choclo, en fin, todos esos platos de los que se había olvidado hacía trece años. El día después de la llamada, había buscado el libro de recetas *Para Saber Cocinar* de Laura Amenábar que se había traído de Chile y que no había sacado nunca de la caja en que lo había puesto al llegar al Canadá. Por la mañana, copiaba las listas de ingredientes en un papelito y por la tarde pasaba por el supermercado a hacer las compras al salir de la guardería. También había desenterrado los pocos cassettes de música chilena que había puesto en la maleta esa última noche en la casa de la calle Catedral abajo. Y cada noche se encerraba en la cocina a escuchar las canciones olvidadas, cocinar las viejas recetas y llorar como una magdalena.

Natalia y Panchi dejaron de traer a sus amigos a la casa, porque su madre no las dejaba escuchar rock a todo volumen, como estaban acostumbradas, les servía las insufribles comidas de la abuela, e incluso se negaba a hablarles en inglés. La Estela de Ramírez no se dio ni cuenta de que sus hijas no le entendían ni una palabra de lo que les decía, de que dejaban los platos intactos en la mesa y de que estaban adelgazando a ojos vista. Ella, por otra parte, empezó a engordar aceleradamente, ya que no sólo se comía lo que se servía en sus propio plato, sino que distraídamente también devoraba lo que no se comían sus hijas. Después de comida se sentaba como un robot a mirar televisión y cuando llegaba el Manuel Ramírez del taller, le servía la comida a él y se volvía a servir un plato para ella.

Los sueños en que se mezclaban escenas chilenas con paisajes canadienses se siguieron repitiendo cada noche. El parque Stanley se le aparecía en la costa de Viña del Mar, o la Alameda pasaba a reemplazar la calle Burrard en el centro de Vancouver. En todos estos sueños ella deambulaba como un fantasma a medio vestir, sin ser reconocida por nadie y sin reconocer a nadie.

Hasta que una noche se le empezaron a aparecer los agujeros negros y comenzó a soñar el mismo sueño todas las noches. Se estaba paseando por la costanera a orillas de la Bahía Inglesa en Vancouver, envuelta en una sábana, (sólo que la costanera bordeaba el Cerro Santa Lucía y la calle Miraflores se había transformado en un río correntoso), cuando en medio de la costanera apareció un gran manchón oscuro. Estela se acercó con cautela hasta la orilla y miró con curiosidad. No había nada. Sólo negrura. Trató de bordear el agujero para seguir su caminata, pero cada vez el agujero se agrandaba más. Pensó en saltar al otro lado, pero el agujero crecía más aún. Quiso devolverse, pero cuando se dio vuelta, otro agujero negro había aparecido a sus espaldas. Miró a su alrededor queriendo agarrarse de algo, quizás algún árbol en el parque, una flor, otro ser humano, pero todo se había vuelto negro.

La Estela de Ramírez sintió que el cemento bajo sus pies se quebraba con un rugir subterráneo. Cayó por el abismo sin tener de qué agarrarse, ni una cara, ni un tulipán, ni una montaña, porque las efímeras imágenes que se le aparecían se borroneaban al instante transformándose en más y más negrura. Gritó desesperada con los brazos y las manos extendidas. Al darse cuenta de que estaba rodeada por la nada, quiso abrazar su propio cuerpo, sólo que entonces se dio cuenta de que su cuerpo era el agujero y el agujero era ella. Lo único nítido en medio de la negrura total fue su voz, atrapada ahora en su garganta, tratando de recordar cómo se pide auxilio... pero, ¿en qué idioma?

EL ESPEJO

A la mañana, en el desayuno,
cuando las cosas lentamente vayan despertando
te llamaré por mi nombre
y tú contestarás
alegre,
mi igual, mi hermana, mi semejante.

Cristina Peri Rossi

Tu nombre real nunca lo supe. Fuiste Cristina y Cristina quedarás en la memoria; Cristina, cuerpo frágil, Cristina, respiración entrecortada, Cristina, carita de niña con grandes ojos asustados.

Se decía que había terroristas, que eran implacables, desalmados. También se decía que los militares torturaban; se decían tantas cosas... Tú bien sabes que yo no apruebo ningún tipo de violencia, por más justificable que parezca– ¡cuántas veces lo conversamos! Pero cuando se me acercaron Juanita y Miguel a pedirme que te tuviera en mi casa, no pude sino aceptar. Me dijeron que estabas moribunda. Te habían hecho todo lo imaginable y lo inimaginable también. A mí nunca se me hubiera ocurrido que hasta tuvieran médicos ahí, en las sesiones mismas, para detener al torturador en ese instante crucial, esa línea frágil que separa la vida de la muerte.

En el teatro, varias veces tuve que actuar ese momento. Tuve que repasar mi propia vida, mezclada con la de mi personaje, para llegar a ese punto en que el espíritu se aleja del cuerpo y se despide flotando. ¡Cuántas veces lo viví en un escenario!... pero de tal manera que tuve que usar todas mis armas para traerlo de vuelta y seguir viviendo como yo, como Clara.

Y ahí estabas tú, en ese punto suspensivo, pero no en un escenario, sino en una casa de tortura. Ahí te habían puesto, a punta de una violencia enfermiza, ideada, planificada, estudiada y puesta en práctica por mentes y manos como las de cualquier otro ser humano. Como estas manos, con las que te recibí esa noche fría de agosto.

Me dijeron que te traerían de madrugada, si todo salía bien. Se haría un «operativo» para sacarte de la cárcel. Tu corazón estaba a punto de dejar de funcionar y las heridas externas se habían empezado a infectar. Yo no sé cuán importante eras tú para la organización; no sé por qué ese despliegue impresionante de vidas para salvar la tuya. Sólo sé que para mí toda vida humana es absolutamente respetable. Incluso la vida de gente inhumana, gente que se comporta inhumanamente, como tus torturadores. Y tus «compañeros» decidieron arriesgar sus vidas para salvar la tuya.

Tus «compañeros», como los llamabas tú e incluso llegué a llamarlos yo: tus «compañeros» –mi única familia, me dijiste un día. Sí, te hubiera gustado tener niños e ir a almorzar a la casa de tus padres los domingos. Esa es una fantasía que toda mujer revolucionaria tiene, me dijiste. Y claro, yo, actriz con una carrera contundente detrás mío, sabía muy bien de esas fantasías. Habiendo tomado hacía tiempo la decisión de ser una mujer sola, yo también tenía fantasías pobladas de niños volviendo de la escuela y de empanadas domingueras. Pero a ningún hombre que yo había conocido le había gustado ser la pareja de Clara. Clara, la que iba de compras y la paraban para pedirle autógrafos. Clara, la que salía cada tarde a trabajar y no volvía hasta pasada la medianoche. Clara, la que realmente no podía (¿no quería?) asumir esas responsabilidades tan tradicionalmente femeninas en la pareja humana.

Esa noche de agosto te esperé como una niña de catorce años espera hacer el amor por primera vez en su vida. No sabía si me doldrías, si me gustarías, o si me sentiría utilizada y luego descartada. Sólo sabía que había dicho que sí, y ya era tarde para arrepentirme. Con las luces apagadas arruiné la manicure que me habían hecho en el teatro esa tarde y maldije mil veces esa manía mía de arriesgarlo todo por un acto de amor que seguramente me haría más daño que bien.

La entrada fue siniestra; tuve que hacer un esfuerzo supremo para no gritar ante la invasión. En la semioscuridad de la madrugada se vislumbraba una silueta menuda, envuelta en un tapado demasiado grande, con los pies a la rastra, entre Juanita y Miguel. La palidez del rostro casi brillaba en la tiniebla del pasillo... y los ojos, ¡los ojos! ¡Qué no hubiera dado yo por lograr esa expresión de entre espanto y sublime cansancio!

La luz del día expuso tus heridas, con vida propia y movimiento. Para los vecinos, el médico se transformó en mi amante y la visita diaria era ornamentada con ramos de rosas y gladiolos. Me habitué a recibirlo en la puerta, con los brazos abiertos. Yo sabía que a las once de la mañana, todas las cortinas de la cuadra se entreabrían para gozar de ese encuentro teatral. Te acomodábamos en la cama, yo te sostenía la frente y una mano, y él atacaba esa piel hecha pedazos.

Tus ojos me miraban con una humedad que odié porque, ¿qué tenía yo que ver con tus ojos, tus pústulas, tu boca seca y apretada? ¿Qué tenía yo que ver con tus gritos sofocados y tus contorsiones grotescas? ¡Ay, cómo odié tus heridas! ¡Cómo odié tu dolor! ¿En qué me había metido? ¿Por qué había dejado entrar a una extraña a mi casa? ¿Es que no tenía suficiente con mi propio dolor?

Pero el amor creció. Al comienzo fuiste mi bebé. Te hacía sopa de bebé y luego te la daba, contándote del teatro, de la obra, de los críticos, de los otros actores. Y una día me hablaste por primera vez. Quisiste saber del mercado y de la calle. Y yo te conté que el mercado estaba lleno de verdura y fruta y que los rabanitos son rojos y las lechugas muy verdes, las ciruelas negras, pero no negras-negras sino negro-violeta, como el de mi vestido predilecto, desteñido por los años. Y te conté de las calles llenas de gente, los cafés con sus mesitas en las veredas ahora que empezaba la primavera, el

71

tráfico, las bocinas y los choferes locos.

Tu voz me interrumpió para decirme que caminar por las calles, escondida entre cientos de rostros anónimos era uno de tus pasatiempos favoritos. Que te sacaba de la soledad. Que te gustaba la sensación de apuro, el ruido. Me acuerdo que escuché tu voz, baja y suave a la vez, y traté de imaginarme qué te había llevado a escoger la vida que vivías. ¿Cómo fue que tú, con tus grandes ojos tiernos, tus manitas de bebé y esa voz hermosa, decidiste unirte a la resistencia armada a la dictadura?

El baño matinal se transformó en un rito. Primero te resististe — que el agua me gusta tibia, que yo me jabono sola, que no gracias, que sí puedo. Pero poco a poco cediste y me dejaste pasar la esponja por tu piel castigada mientras escuchábamos a Bach, nuestro favorito. Lo poníamos bien fuerte para así poder conversar normalmente sin temor a que nos escucharan los vecinos. Y luego nos sentábamoss a tomar café con leche y a disfrutar de las medias lunas que me acostumbré a comprar cada manaña para ti, para nosotras.

En la noche, de vuelta del trabajo, te encontraba muy erecta sentada en el sillón, esperándome. Te encontraba abierta, suave, vulnerable, despidiendo una calidez invitadora. Yo entraba hasta el fondo y me abría hasta el fondo. En la semioscuridad tomábamos té, hablando a susurros de esas cosas que nunca mencionamos a la luz del día: mi niñez, tu niñez; tu adolescencia, tu primer amor; mi adolescencia, mi primer amor. Y hablábamos de nuestras madres, de nuestro inmenso amor y nuestro profundo odio por ellas, algo que nunca hubiéramos admitido frente a nadie, ni siquiera nosotras mismas.

En esas noches tibias me contaste de tu compromiso total con la revolución y yo te conté del mío con el teatro. Pero más que nada, conversamos de nuestro compromiso con la vida, a nuestra propia manera, y la severidad con que nos auto-juzgábamos; ese esfuerzo casi castrador por ser más consecuentes con nuestras ideas. En esas noches tibias llegué a entender que para ti el llevar un arma había significado un esfuerzo gigantesco. Había sido un logro, un dar a luz.

Manejando por las calles vacías, me arrebataba por llegar a esa reunión silenciosa y oscura, esa especie de juego de la verdad, porque nuestros encuentros eran como caminar hacia un espejo: nos mostraban nuestra propia vida en la vida de la otra. Pero también encerraban la emoción de saber que si caminábamos demasiado rápido o demasiado lejos, terminaríamos hechas trizas.

Un día me dijiste que estabas escribiendo una nota importante para mí, que la terminarías ese día y me la mostrarías cuando volviera del teatro. Es sobre algo que he estado pensando mucho desde que volví a vivir, me dijiste; algo muy profundo que sólo tú puedes entender.

Esa noche me apuré más que nunca. Cuando abrí la puerta, tu perfume volaba tenue por la casa, pero el vacío en el sillón me golpeó con fuerza. Busqué la nota, busqué tu cuerpo, pero no había nada. Habías salido de mí sin avisarme.

Yo no sé dónde te fuiste. No sé si tu mano pequeña, en este preciso instante, estará empuñando un arma, un arma con la que no estoy de acuerdo y contra la cual lucho desde mi propio frente. Sólo sé que yo te entiendo y tú me entiendes. Sólo sé que tu perfume queda... y tu imagen, dentro de la mía.

ADIÓS PIAZZOLA

Nunca vi a Piazzola. Los dedos en las teclas del bandoneón, moviéndose como explorando un cuerpo hecho de botoncitos y pliegues, como el mío, con botoncitos que me hacen pensar en cosas, sentir cosas; como éste, aquí debajo del brazo, que sirve para activar la risa; o este otro, en el pescuezo, que prende la angustia. Piazzola, con sus dedos en mis botones, balanceándome en su rodilla, como un padre o un abuelo cariñoso, sacándome carcajadas y suspiros. Piazzola, como un amante experto, apretándome los botones del deseo y desdoblándome en jadeos y nostalgias.

Nunca vi a Piazzola, esa arruga profunda entre las cejas y la boca de niño triste, quizás desde que le dijo Adiós a su Nonino o quizás desde antes, desde cuando sus abuelos o sus bisabuelos llegaron de Italia a instalarse en la locura y el placer del Verano Porteño. ¿Qué calles de Buenos Aires habrá caminado Piazzola? ¿Qué lenguas se le metieron temprano en la boca, en los dedos?

La primera vez que no vi a Piazzola fue en Buenos

Aires. Yo era una de esos miembros de la Resistencia a la dictadura de Pinochet que se pasaba días en un cuarto de hotel, saliendo sólo para encontrarse con alguien que no parecía llegar nunca. En eso estaba yo, con todos los botones de la impaciencia, el miedo, la rabia y la angustia bien activados, cuando vi en un diario que Piazzola se presentaría ese sábado por la noche en el Opera. Las militantes antidictatoriales no acarrean grandes cantidades de dinero; al contrario, se quedan en hoteluchos de mala muerte y pasan hambre. Saqué las cuentas por lo menos diez veces, dispuesta a cualquier sacrificio, pero tuve que aceptar el hecho de que aunque me quedara en la calle y no comiera nada por tres días, no me alcanzaría la plata para comprar una entrada.

Sin pensarlo dos veces, decidí arriesgarlo todo: mi seguridad, mi militancia, mi dignidad, todo; tenía que ir a ese concierto. La noche del sábado me fui al Opera y presencié, llena de celos, la llegada de cientos de porteños bulliciosos y bien vestidos. Esperé hasta que todo parecía más tranquilo y le expliqué al tipo que controlaba los boletos que yo era una gran admiradora de Piazzola, que no era de Buenos Aires, que me habían robado la billetera, que esto, que el otro, que lo de más allá. Todo esto lo hice con mi mejor acento cuyano (pensaba yo). No hubo caso. El tipo se empecinó en el NO y no me dejó entrar. Ni siquiera me dejó quedarme parada en el foyer escuchando la música. Por un comentario que hizo me di cuenta de que no le gustaban los chilenos y ahí me percaté de que cuando me invaden las emociones, el botón del cantito chileno se activa automáticamente y lo único que me sale son «pus», «puchas» e «itos». Seguro que le dije que pucha, que no fuera malito, pu.

Me fui llorando por la Avenida de Mayo camino al hotel, sin preocuparme de que si la gente me miraba o no me miraba, si llamaba la atención o no llamaba la atención, si me veía ridícula, si se me corría la pintura, nada. A las pocas cuadras me entró el pánico y empecé a imaginarme que el tipo del teatro me había odiado a tal punto de llamar a la policía y que la policía argentina había llamado a la DINA y que me iban a estar esperando en el hotel. Me di por lo menos cinco vueltas por el centro sin saber qué hacer. Finalmente llamé al hotel para preguntar si tenía algún recado o si alguien me estaba esperando. Escuché la voz de la recepcionista con los oídos y los poros, al punto de la paranoia. Tuve que concluir que sonaba atenta y segura, sin tembleques ni cosas raras. Que nadie me esperaba se hizo claro como el agua esa noche de ausencias y dolores largos, como mi país.

La segunda vez que no vi a Piazzola fue en Vancouver. Cuando supe que se presentaría en el Arts Club el domingo Primero de Mayo, compré los dos mejores boletos en la sala. A estas alturas la militancia había tomado otras formas y había dejado de ser tan pobre. Me preparé concienzudamente para el concierto. Toqué mi colección de Piazzola cada día, casi secretamente, amasando los ritmos, sintiendo cómo cada nota me elevaba como un volantín o me hacía caminar por las calles de Buenos Aires, o extrañar a mi madre, o a mi lengua madre. Traté de imaginarme a Piazzola más allá de esa foto única con el pie encaramado en una silla y el bandoneón apoyado en la rodilla, la arruga y la boca. Tirada en el suelo, mirando las borlitas de humo de mi cigarrillo volar y alcanzar el techo, lo vi de niño, con pantalón corto y rodillas grandes, el pelo pegado con gomina Brancatto. Estaba dispuesta a vengarme de manera definitiva del tipo del Teatro Opera. Estaba dispuesta a disfrutar a Piazzola con todo.

Dos días antes del concierto. Un viernes. Suena el teléfono a eso de las cuatro de la tarde. Voz de mujer, impersonal, cumpliendo con su deber. Un accidente automovilístico. Sí, mi nombre aparece en la libreta de él para notificar en casos de emergencia. Sí, el Hospital Saint Paul. No, ella no está autorizada para dar información sobre el estado del paciente.

Los mismos botones de Buenos Aires. Yo, sola, esperando a alguien que no llegaría jamás, o que quizás ya había llegado pero... ¿se iría para siempre? ¿Qué sería de mí sin sus dedos piazzolanos, tocándome, sacándome suspiros y jadeos de estos pliegues complacientes?

Me quedé con él en la pieza de hospital tarde, noche, madrugada, día, tarde, noche, madrugada, día... Me quedé con mi bandoneonista, el de los ojos cerrados y una maquinita de hacer «bips» a los pies de la cama. No vi a Piazzola. Los dos mejores asientos de la sala se quedaron vacíos ese domingo por la noche en el Arts Club. Unas semanas después, Celeste, nuestra amiga y camarada argentina, nos contó que había estado increíble. Fenómeno che, dijo. Sí, Piazzola había tocado parado, con el pie encaramado en una silla. Sí, tenía una arruga profunda entre las cejas y la boca de un niño triste. Pero se había sonreído varias veces.

El Clarín llega a diario a la Pizzería Baires en Fraser con la Avenida 49. Así supimos las noticias. Primero, la embolia y el viaje de París a Buenos Aires. Luego, el prolongado deterioro y finalmente, la muerte. Lloré la muerte de Piazzola como lloré esa noche caminando por la Avenida de Mayo. Pero quizás lloré aún más la muerte de mi sueño. Yo nunca vi a Piazzola. En particular, no lo vi dos veces. Sigo escuchando sus dedos de maestro. No estoy sola. Mis bandoneonistas me siguen tocando los botones. Todos, los de las risitas y los de los miedos.

TERCERA DIMENSIÓN

Calle Salsbury 1146, Vancouver, Canadá. Segundo piso, primera puerta a la izquierda. Un dormitorio mediano con un ventanal mirando al norte. Un retazo de cielo azul transparente interrumpido por una cordillera salpicada de nieve. Al lado de la puerta cerrada con dos vueltas de llave y cerrojo, una pequeña cómoda pintada de blanco.

Un cassette da vueltas en una grabadora portátil; en la caja vacía, Mercedes Sosa, de pie, sostiene un micrófono con la mano izquierda, su cuerpo arrebozado con un poncho negro. Varios otros cassettes están cuidadosamente alineados contra la pared: Quilapayún, Violeta Parra, Inti-Illimani, Charo Cofré, Tiempo Nuevo, Angel Parra, Víctor Jara, Isabel Parra.

Un cajón entreabierto deja ver ordenadas pilas de ropa interior: calzones de algodón blanco estilo bikini, sostenes con copa de encaje, calcetines de diferentes colores y algunas medias, hechas bolita y metidas en el rincón de atrás.

Al otro lado de la cómoda, la puerta abierta del closet deja ver alguna ropa colgada: dos vestidos de verano, una camisa blanca manga larga, una falda de franela gris, un par de pantalones negros y un abrigo azul, amuñado en el suelo sobre un par de zapatillas blancas de gimnasia.

Una cama angosta se arrima contra la pared derecha, cubierta con una frazada de lana con motivos mapuches en rojo y negro. Un camisón de franela con florcitas celestes descansa descuidadamente a los pies y en el suelo se asoma un par de zapatillas de peluche rosado.

En la pared, sobre la cama, varias fotos y dibujos se sostienen con alfileres: una pareja de unos cincuenta años de edad posa solemne y seria tomada del brazo; un joven de veinte contempla el mundo con los ojos entrecerrados y una hilera de dientes blancos y parejos; un grupo de muchachas hace muecas y cuernos desde una plaza de pueblo. Dibujos a lápiz de flores, firuletes, montañas, rostros, casas, árboles, todos firmados *Gloria*, llenan el resto del espacio blanco.

En la pared izquierda, Víctor Jara sonríe desde un segundo plano. En primer plano, sus manos sotienen una guitarra dentro de la cual se lee:

> *Levántate y mírate las manos*
> *para crecer estréchala a tu hermano*
> *juntos iremos unidos por la sangre*
> *ahora y en la hora de nuestra muerte*
> *Amén.*

Bajo el afiche, sobre un escritorio pequeño, se apilan libros, cuadernos y papeles. Un block de dibujo muestra un rostro de hombre, inconcluso. Una taza de cerámica contiene unos cuantos lápices y lapiceros. El *Diccionario Velásquez Español-Inglés* y el libro *Inglés para Neocanadienses* ocupan el centro del escritorio. *Todos los Fuegos el Fuego* de Cortázar descansa abierto, boca abajo. Encima, hay un cuaderno abierto al que se la ha arrancado una hoja de cuajo. Un lápiz ha caído al suelo, junto con la hoja que le falta al cuaderno.

Entre el escritorio y la cama yace un cuerpo de mujer joven, pelo negro largo y sedoso, piel blanca, ojos verdes levemente entreabiertos. Sus labios delgados esbozan un ademán de queja. Lleva un par de jeans, un sweater celeste tejido a mano y botas de cuero negro. Sus manos son como las de un niño, comenzando por las uñas comidas y terminando en pequeñas muñecas, ahora abiertas como bocas, de las que mana un líquido rojo que avanza manchando el suéter celeste, los jeans, el calzón de algodón blanco, el sostén con copa de encaje y la alfombra color crema donde yace una hoja de afeitar, al lado del lápiz y la hoja de cuaderno donde se puede leer una nota garabateada con trazos rápidos:

22 de febrero, 1975

Hoy lo vi caminando por la calle Commercial. El también me vio. Me reconoció. Se quedó mirándome y sonrió. Yo ni siquiera atiné a gritar. Nunca me imaginé que vendría al Canadá. ¿Qué está haciendo aquí? Lo vi. No fue mi imaginación. Me reconoció.

Seguro que va a descubrir donde vivo. No puedo seguir así. Mi torturador está aquí. En Vancouver.

SAUDADES

La abuela Flora recorre con calma la foto amarillenta, mientras la boca mastica quién sabe qué recuerdos. Las manos son las únicas que parecen apurarse debajo de la mesa, de donde sale el tin-tin de las agujas de tejer. A nadie parece incomodarle el silencio. Sólo a mí, la intrusa proveniente de un mundo donde cada espacio debe ser llenado con palabras.

La boca sigue masticando y los ojos recorriendo. Un gorrito de niño a medio hacer aparece de debajo de la mesa y se acuesta sobre un libro. La mano izquierda de la abuela Flora levanta la foto de la mesa y el dedo índice derecho, entumecido y calloso, recorre el edificio de ladrillos con ventanas pequeñas y la escalinata donde un grupo de niños morenos vestidos de trajes y botines enfrenta la cámara. Su boca deja de masticar y dice:

> Los niños se ven tristes. Se ven todos
> tristes. Se ve el sufrimiento. Están lejos
> de su familia. No pueden hablar en su idioma.
> La escuela parece una cárcel.

Mi amiga Adriana, la maestra alfabetizadora, escribe en el pizarrón con letras grandes y redondas lo que dice la abuela Flora. La mano de Adriana es la extensión de la boca de la abuela Flora. Yo, la visitante, observo. Adriana lee en voz alta lo que escribió, apuntando a cada palabra, cada sílaba. La abuela Flora lo copia todo en su cuaderno. Entonces, una vez que ha terminado de copiar, su voz antigua se mezcla con el acento lejano de Adriana, mientras las dos leen con los dedos en el papel, sintiendo, hurgando cada letra, cada palabra, cada espacio, como si ahí se encerrara la profunda verdad de tanta vida rota.

Al final de la clase Adriana y yo caminamos en silencio de vuelta a su casa, seguidas por lo perros de la reservación. Los niños juegan hockey en las calles de tierra, el humo de las chimeneas se mezcla con la humedad del bosque. El agua sigue saltando, como entonces, como siempre. Nos paramos a mirar cómo el río se junta con el mar, la pobreza de las casas a nuestras espaldas, la eternidad del océano metiéndosenos por los ojos, las orejas, la nariz, los poros.

La abuela Flora no fue a la escuela con internado que el gobierno de los blancos diseñó cuidadosamente para asimilar a los indígenas. Su hermano Charlie sí fue. Ya les habían quitado la tierra. Ya vivían en reservaciones. El alcoholismo ya había prendido, como fuego. Los agentes del gobierno ya se habían llevado a todos los niños a la escuela de Tofino. Sólo quedaban los más chiquitos. Y quedaban Flora y Charlie.

Flora y Charlie soñando con ese lugar lejano, lleno de niños oscuros que le cantan a la reina, se visten de uniformes, aprenden el idioma de los blancos, se arrodillan para rezarle a un dios todopoderoso. Flora y Charlie pescando en este río, sin zapatos, riendo, riendo, hablando en esos sonidos con gustito a tierra, corriendo, saltando de esa piedra a esa piedra. Flora y Charlie escondiéndose en el bosque por orden de su madre cuando se daba la voz de que venía el agente. Flora y Charlie encaramados en ese árbol, silbando como pájaros, burlándose de esa entidad que su madre llamaba «gobierno» y que se apoderaba de todo, todo, incluso de los niños, para no devolverlos jamás.

Esa noche Adriana cocina una versión canadiense de su lejana *feijoada* brasileña, mientras escuchamos a María Bethânia:

> *Sonho meu, sonho meu*
> *vai buscar quem mora longe, sonho meu*
> *vai mostrar esta saudade, sonho meu*
> *a madrugada fria so metraz melancolia, sonho meu*

Sueño mío, sueño mío, ve a buscar a alguien que vive lejos, sueño mío. Ve y muéstrale esta *saudade*, esta nostalgia. La madrugada fría sólo me trae melancolía, sueño mío. En la boca del viento sentimos la canción de esta isla en la orilla del mapa. Los árboles, los pueblos milenarios, la lluvia. La samba está tan lejos, sueño mío. La noche retumba al ritmo de la voz de la abuela Flora:

Se ve el sufrimiento
se ve el sufrimiento

Después de comida, Adriana me cuenta el final de la historia detrás de la foto amarillenta, detrás de la boca y las manos de la abuela Flora: Charlie se cansó de esconderse del agente del gobierno y con una gran sonrisa y el pelo mojado se fue a la escuela con internado. Tenía once años. No volvió nunca más. Dos años más tarde, el gobierno mandó una carta diciendo que se había escapado de la escuela. La madre no lloró. Flora se fue a tirarle piedras al río. No lo buscaron. Cinco años después alguien les dijo que lo habían visto en Vancouver. Flora partió a buscarlo, a traerlo de vuelta. Ninguno de los dos volvió. Se perdieron en los bares de la calle Hastings. Flora volvió cuando tenía treinta años. Cuando cumplió cuarenta y tenía seis hijos vivos y tres muertos, dijo: soy alcohólica. Todavía lo dice, pero hace veintiocho años que no bebe.

Yo ya no volveré a la clase de Adriana. No volveré a ver a la abuela Flora. Mi propia vida me llama desde Vancouver. La visita ha terminado. Adriana me acompaña a la parada del bus. En la niebla matinal nos enfundamos en un abrazo de ésos que encierran mucha esperanza compartida. A veces los sueños se persiguen muy lejos de donde nacimos. La silueta de mi amiga se aleja por la ventanilla del bus, su puño izquierdo en alto. Yo le respondo con el mío. Me llevo la cara de la abuela Flora metida entre las cejas.

De vuelta en la ciudad, me paso meses buscando a

Charlie. Pregunto en todos los bares, los hoteles, los centros comunitarios, las licorerías. No puede haber muchos que llegaron a viejos, como él. No sé por qué lo busco. ¿Qué le voy a decir cuando lo encuentre? ¿Que conocí a su hermana Flora en una visita a Port Hardy? ¿Que mi amiga brasileña le está enseñando a leer? ¿Que Flora está bien, que hace veintiocho años que no bebe? ¿Que me interesa la situación de los pueblos aborígenes? ¿Que soy latinoamericana y que nuestros pueblos indígenas también han sufrido mucho? Después de todo, quizás me he transformado en una liberal de mierda... No lo encuentro. Nadie lo conoce. Charlie no existe.

Unos meses después Adriana llora por teléfono. Charlie murió en el Hospital General de Vancouver. Estuvo ahí una semana. Nadie le avisó a la familia hasta ahora. No tuvieron que deshacerse del cuerpo hasta ahora.

Otra noticia: hoy la abuela Flora escribió su primera historia, con su propia mano.

EL ÚLTIMO ENCUENTRO

Y era verdad, comadre, aquí no da para tener alfombra. Cuando más el colchón en el suelo, la cocina a parafina y los cigarros. Esos no pueden faltar. Es una vida totalmente diferente, no hay vuelta que darle. Pero la diferencia no está sólo en la falta de comodidad material. No. También está en la falta de comodidad de la mente y de la guata. Pero no puedo quejarme, comadre, ya no tengo que preocuparme de dietas ni nada parecido. Este modo de vida es perfecto para mantener la línea, lo quiera o no.

En Vancouver nunca nos imaginamos cómo sería en realidad la vida en la clandestinidad. Es un trabajo a tiempo completo, y eso no significa ocho horas diarias, sino veinticuatro horas diarias. Las tareas pueden ser terriblemente aburridas o, de vez en cuando, muy peligrosas. En resumen, la vida en la clandestinidad no es un lecho de rosas, de eso puede estar segura, comadre. Y para más remate, ni siquiera se puede hablar de la vida pasada o presente con nadie.

Pero con usted, comadrita, puedo hablar cuando

quiera y de lo que quiera. Me la enchufo en la cabeza y listo. Puedo contarle cosas, recordar cosas, conversarle... De alguna manera yo sé que usted me escucha allá en el Norte... Yo le mando estos mensajes telepáticos y ya me siento mejor, más aliviada, más livianita, más contenta.

Siempre me acuerdo de que usted me insistía tanto en que me cuidara y que cuidara a las niñitas. Y tenía razón, comadre. Sí, tengo que cuidarme mucho, no puedo dejar que me agarren los milicos. Me da terror que le hagan algo a las niñitas. Claro que ellas están sanas y salvas viviendo con mi mamá y mi papá, pero igual me da miedo. Lo más importante es seguir todas las medidas de seguridad al pie de la letra. La semana que viene tendré que cambiarme de nuevo, encontrar una pieza en otra parte. Esa es una parte fundamental del trabajo, no quedarse nunca más de un mes en el mismo lugar y no darle nunca a nadie la dirección de donde uno vive. Pero cansa andar buscando pensión todos los meses, tener que asegurarme de no toparme con gente conocida, tener que acarrear todas mis cositas– no es que tenga mucho, pero...

Una de las cosas que más me ha costado es acostumbrarme a mi nuevo nombre. ¿Se acuerda cuando nos reíamos pensando que con un nuevo nombre una se podría inventar una nueva vida, una vida tal cual una la quisiera, con todas las fantasías habidas y por haber? Bueno, no es tan así, comadre. Además, he descubierto que a pesar de todo, mi propia vida no ha estado tan mal. Me gusta bastante y me da no sé qué tener que aprenderme la historia de una vida prestada. Lo único que no me gusta de mi propia vida y que quisiera cambiar es la separación de Sergio. Ojalá no se hubiera enamorado nunca de esa gringa pelotuda. Pero, *c'est la vie*, no se puede obligar a nadie a que te quiera, ¿verdad?

Fíjese comadre que se supone que soy estudiante de Historia en la Universidad Católica. Soy de Frutillar y por eso vivo en una pensión en Santiago. Por supuesto que soy soltera y como soy super matea, no tengo pololo ni amigas que me visiten ni nada. Así es que tuve que dejar de usar los lentes de contacto que me gustaban tanto, comadre, y volver a ponerme los anteojos poto de botella. ¿Se imagina? Me veo horrible. Ahora también tengo el pelo largo y liso (adiós a las permanentes), y no me pongo pintura. Ando con un bolsón lleno de libros de historia, más aburridos que la cresta. En este trabajo, ése es el tipo de cosas que hay que hacer por la seguridad.

Pero lo que sí me gusta es cuando por períodos cortos tengo que transformarme en alguien totalmente diferente para una tarea específica. El otro día, por ejemplo, tuve que ir al Ministerio del Interior a hacer averiguaciones sobre pasaportes para personas importantes (se llaman *VIP*, porque usan las iniciales del inglés *very important person*). Fui con un compañero que se llama Raúl. Eramos un matrimonio de San Fernando, dueños de viñas y fabricantes de vinos finos, y queríamos ir a Asia para promover nuestros productos. Así es que me puse un traje sastre color palo de rosa con una blusa de seda negra, tacos y cartera negra. También me tuve que poner medias, por supuesto, una peluca castaña con un corte paje y joyas de oro. Me pinté las uñas de un color rosa (casi igual al del traje sastre) y me maquillé de manera que se notara, pero con discreción. El toque final fue un rouge color rosa en los labios. La peluca era más incómoda que la cresta porque me picaba y me picaba. Fuera de eso, todo salió a la perfección y hasta me sentí atractiva por un rato.

Lo que más me gusta de estas tareas cortas y arriesgadas es la satisfacción de saber que de alguna manera hemos traspasado los límites, cruzado las fronteras del territorio de la dictadura. Que aunque los milicos tienen tanto poder, también tienen sus lados flacos; que podemos usar esos lados flacos para llegar a conocerlos mejor y así derrotarlos. Esto sí me gusta.

Cuando pienso en estas cosas me acuerdo de Lautaro, de la manera que lo describe Neruda en el *Canto General*, o de la manera que mi mamá me contaba de su vida cuando yo era chica. Lautaro, el cacique de los mapuches que fue educado desde que nació para dirigir a su pueblo en la guerra de resistencia contra los conquistadores españoles. Sus mayores usaron una combinación de amor y disciplina hasta que, al alcanzar la adolescencia, estuvo listo para infiltrar la casa de Pedro de Valdivia y convertirse en su sirviente personal. Por años vivió con el conquistador, atento a todas sus necesidades y a su manera de pensar y actuar. Incluso fue su ayudante en muchas de las batallas contra los mapuches. Pero cuando se sintió preparado, volvió a su pueblo y los dirigió en la guerra triunfante que terminó con la muerte de Valdivia y la derrota del ejército español.

Llegó Lautaro en traje de relámpago.
...
De tumbo en tumbo la capitanía
iba retrocediendo desangrada.

Ya se tocaba el pecho de Lautaro.

Valdivia vio venir la luz, la aurora,
tal vez la vida, el mar.
Era Lautaro.

¿Se acuerda comadre cuando leímos el poema de Neruda sobre Lautaro en una de nuestras presentaciones y la gente se puso a llorar de emoción? ¡Qué linda experiencia!

Pero basta de eso por ahora. Volvamos al asunto de sentirme permanentemente fea. Fuera de deprimirme un poco de vez en cuando, no tiene grandes implicaciones ya que no hay esperanza de encontrarme un compañero, aunque sea sólo por una nochecita, porque con este asunto de la seguridad, estoy frita.

Fíjese comadre que el otro día me tocó pasarme un par de horas con un compañero que no había conocido nunca antes. Me encantó su manera de ser y creo que yo también le gusté a él, a pesar de mi pinta de matea. Se produjo como una electricidad entre nosotros. Conversamos de todo lo que había que conversar para el trabajo y era obvio que ninguno de los dos se quería ir. Entonces, como no podía contarle nada de mi vida ni de mi pasado, le conté un sueño que tuve la otra noche, el sueño de los teléfonos.

Yo estaba en un lugar donde había docenas de teléfonos en las paredes, encima de unas mesas, en el suelo, en fin, por todas partes. Yo iba de un teléfono a otro diciendo aló, aló, pero todos los teléfonos estaban muertos, no tenían tono, o tenían los cables cortados. Me desperté llorando en la mitad de la noche y transpirando como chancho. El compañero Luis (así se llama), me dijo que era natural tener esos sueños porque de hecho nosotros estamos como incomunicados, no podemos hablar de nuestras cosas con nadie y eso es muy difícil, muy difícil. Y yo, mirándolo como idiota, lo único que quería era que me tocara, que me tomara la mano, que me pusiera el brazo en el hombro, que me agarrara la cara con las dos manos... Me dieron unas ganas terribles de llorar, mirándolo ahí al otro lado de la mesa del café donde nos juntamos. Pero también me admiré del control que tengo, no me salió una sola lágrima y seguí sonriéndole y asintiendo como si nada. Claro que cuando llegué a la pensión me destapé y lloré como una magdalena. También me puse a fantasear sobre Luis ...

Luis tu desnudez me persigue como una mano limpia abierta amplia simple oscura flexible te recoges te anudas te estiras entre mis dedos en la punta de mi lengua te meto en la boca de a pedacitos me hago miniatura en tus brazos me enredo en el vello de tu pecho te ofrezco mi humedad mis pechos te acuno persigo tu piel de conejo me acurruco en tus ojos tiemblo me hago mar te invito te sumerges llegas

Luis Lucho compañero me despliego te abro te contemplo
acaricio lamo chupo beso me meto en ti te metes en mí nos
volvemos locos nos hacemos mierda explotamos vivimos el
aquí y el ahora de cuerpo presente transformamos la noche
en un estallido sin fin celebramos nuestra propia revolu-
ción amamos hasta quedar hechos trizas jadeamos sudamos
nos reimos nos amamos compañero Luis...

¿Se acuerda comadre cuando leímos las cartas que la Alexandra Kollontai le mandó a la Clara Zetkin por allá por los años veinte? Había una en la que le hablaba de lo que significaba para ella ser una mujer revolucionaria, de la soledad que sentía, la envidia de saber que los compañeros hombres tenían compañeras que los esperaban, mantenían la casa, preparaban la comida, cuidaban los niños. Y cuando ellos volvían de un largo viaje hacia la clandestinidad o de un largo día de trabajo, siempre tenían dónde volver, un plato de comida caliente en la mesa, y un par de brazos para acurrucarlos y darles nuevos ánimos.

La otra noche, después de haber conocido a Luis, me acordé mucho de la Kollontai y lloré por ella y por todas las mujeres que hemos decidido meternos en esto, a pesar de las dificultades. Pero la Kollontai también me dio fuerza. De sólo pensar que fue la única mujer que llegó a ser miembro del comité central del partido bolchevique y del gobierno de Lenin, me corre una cosita por la espalda.

Comadrita, no se preocupe por las niñas. Ellas están muy bien con mi mamá y mi papá. Yo las veo de vez en cuando por un ratito. Nos abrazamos y nos besamos y yo ya tengo que irme. Es difícil, pero es lindo. La pobre vieja me trae un paquete con pan amasado, queso chanco, calzones rotos, y charqui y manzanas que mi madrina Prudencia le manda del campo. El viejo me da discursos anti-dictatoriales al oído y me dice que está muy orgulloso de mí, que ni siquiera sus hijos hombres salieron tan revolucionarios. No sé qué haría sin mi papá y mi mamá.

Y aquí estoy ahora, comadre, un día domingo de agosto, recostada en la cama, después de haber visto a mis viejos y a mis hijas, conversándole a usted y escuchando esa cinta de la Susana Rinaldi que a usted le gustaba tanto y que escuchamos juntas, por última vez, esa tarde de verano allá en Vancouver, hace ya casi un año, tiradas en la alfombra del living de su casa, silenciosas, sabiendo que ya nunca más, nunca más...

Malena canta el tango como ninguna
y en cada verso pone su corazón

«Tengo el corazón cuadrado, pero tengo miedo. No me puedo ir», me dijo usted. En silencio, salimos de la casa y nos fuimos a la playa. El parque Jericho bullía de gente y Vancouver se extendía al otro lado de la bahía, como un ensueño... Pensar, comadre, que nunca me imaginé que extrañaría Vancouver cuando volviera a Chile. Pero a veces, sobre todo cuando el miedo amenaza con invadirme el cuerpo y la mente, pienso en Vancouver y me siento mejor. En esos momentos daría cualquier cosa por estar allá de nuevo, aunque fuera por unos minutitos, sentada en un tronco en la playa mirando el océano, los botes a vela, la ciudad al otro lado de la bahía con sus moles de cemento y vidrio estirándose hacia el cielo, sus cientos de ojos iluminándose en la penumbra, mientras el sol enciende el cielo con sus últimas luces, el parque Stanley metiendo su lengua verde al agua de la ensenada, las montañas como telón de fondo con sus bosques y sus picos nevados...

Vancouver nunca te quise cuando viví en ti y ahora te quiero te extraño me permito caminar por la calle Commercial comprar una docena de rossettas en la panadería de Renato tomarme un vaso de vino con Roger y Sandra en el Bar Central disfrutar un plato de ñoquis de la nona en el Restaurante de Nick mientras cambiamos el mundo con palabras tomo el bus Granville hacia el barrio chino me meto en cada tienda a mirar las miniaturas los abanicos las estatuillas los cuadernitos con tapas forradas en seda entro por el callejón detrás de la calle Pender golpeo en La Puerta Verde y pido una sopa de won ton con pato asado me chupeteo los labios camino hasta Hastings tomo el bus MacDonald me bajo en Kitsilano me permito caminar por la cuarta avenida con sus boutiques sus cafés sus librerías me siento a tomar un cappuccino en El Cerrito entro al Rincón de la Cocina miro los platos hondos los platos bajos las teteras los cucharones las cucharitas los cuchillos las tazas los tazones los individuales las servilletas los cedazos los embudos los exprimidores las paneras las mantequilleras los boles grandes pequeños medianos de greda de loza verdes blancos grises marrones salgo con una jarra de vidrio azul para el jugo me paseo contenta por la calle sonrío cruzo tomo el bus UBC

para ir al colegio de mis hijas donde me esperan saltarinas
las recojo caminamos cantamos llegamos a casa a tomar la
leche con las galletitas que hice anoche a todos los niños del
barrio les encantan las galletitas que hace la mamá de Ca-
mila y Alejandra ya vienen Jessica Komiko Teddy Lucas
Andrea Gloria Chris Jesse Della me permito volver a mi
casa de Vancouver sentarme a la mesa dormir en mi cama
leerles un cuento a mis hijas...

Esa tarde usted tenía cincuenta dólares «para hacerle una contribución a la causa», y déle con los cincuenta dólares, y déle con la contribución, y déle con
que yo necesitaba un vestido encachado, con que tenía que pensar en mi fachada...

Dos horas en las boutiques de la cuarta avenida y
de Broadway, poniéndome, sacándome, mirándome
al espejo, dándome vueltas, que sí, que me gusta, pero
tendríamos que darle un poquito aquí y subirle la basta
acá, no... mejor ése no... éste, si le entramos un poco
de arriba y le damos de abajo... pero la costura está
justo a la orilla, qué lástima... a lo mejor si a éste le
acortamos los tirantes ... Pero los vestidos desarrolla-
dos no le quedan bien a una comadre subdesarrolla-
da. La imagen en el espejo, ridícula. Los vestidos, para
tipas de metro ochenta, y las caderas... Yo con mis an-
cas de hipopótamo...

Frustradas, nos fuimos de vuelta a su casa, comadre, agarramos la guitarra y el charango y nos pusimos a cantar. Los dúos nos salían tan bien, desde las
canciones de protesta hasta las sambas y los bosano-
vas, sin contar los boleros, además de todas esas can-

ciones en inglés que nos habíamos aprendido con la ayuda de nuestra amiga Pat...

There once was a union maid she never was afraid of the goons and the ginks and the company finks and the deputy sheriffs that made the rate... uno y dos y uno y dos con el charanguito... quien se hubiera imaginado querido armadillo que un día te ibas a despertar hecho charango cantando música sindicalista en inglés allá en el Canadá... tú que naciste en el altiplano para cantar con el viento y con las llamas... ay que no diera por tener un charanguito o una guitarra para acompañarme en un tango o un bolero... la puerta se cerró detrás de ti y nunca más volviste a aparecer la la la li liri lirí taririririri lará...

¿Se acuerda comadre cuando cruzamos las Montañas Rocosas con un tremendo temporal de nieve en la mitad de la noche? El Scott nos había prestado su liebre volkswagen para que fuéramos con el conjunto a Calgary y a Edmonton y después de vuelta recorriéramos la Columbia Británica. ¡Pero casi nos quedamos en las Rocosas, enterrados en la nieve con liebre y todo! Y al pelotudo del René lo único que se le ocurría decir era que los Andes eran mucho más grandes y que las nevazones ahí sí que eran nevazones... Pero por lo menos el Pablo y el Carlos cantaban hechos unos desaforados para mantener los ánimos, aunque la tarea no era fácil.

Yo nunca he vuelto a sentir tanto frío como esa noche, comadre. Me acuerdo de ir manejando la liebre cuando me doy cuenta de que la calefacción no funcionaba... Por más que le manipuleamos las perillas no hubo caso y yo me empecé a sentir como estatua, tiesa como un témpano. Me empezó a doler todo, las sienes, las rodillas, los hombros, con un dolorcito agudo, como de agujas... Pero llegamos de milagro a Calgary y los compadres y las comadres estaban super preocupados por nosotros y nos estaban esperando con tecito y sopaipillas...

Chilenos de Calgary y Edmonton algunos ricos otros pobres como otros exiliados chilenos como nosotros comprometidos con memoria otros con los humos en la cabeza el boom del petróleo trabajos duros pero bien pagados tres autos a la puerta juego de comedor juego de living juego de dormitorio juego de cristalería juego de platería en exhibición en vitrinas televisión vía satélite televisión chilena novelas mexicanas brasileñas colombianas señoras tejiendo y llorando a moco tendido caballeros mirando los partidos del Colo Colo el domingo por la tarde qué lástima compañero que haya que boicotear el vino chileno pero el francés no está mal hombre por supuesto es de lo mejorcito en el mundo pero como el Concha y Toro no hay nadie me va a convencer de lo contrario a ver qué nos pondremos para la peña de esta noche mira qué bien que se ve la señora María con su traje largo de lentejuelas rojas y sus zapatos de charol que le hacen ver el pie como si fuera una empanada rebalsándole el calzado tan fino italiano que se compró en Eaton's y don Manuel con su chaqueta de lamé dorado bailando como un Valentino un dos tres un dos tres qué lejos que está mi tierra y sin embargo que cerca o es que existe un territorio donde la sangre se mezcla la la la un dos tres de Alberta a la

región de las montañas Kootneys donde nos esperan los sin-
dicalistas las feministas los que lucharon contra la invasión
americana en el Viet Nam vamos recorriendo Nelson Cran-
brook Kimberley Kaslo Castlegar y después Pencticton Ke-
lowna Winfield Peachland la tierra de los duraznos Sum-
merland la tierra del verano en el valle del Okanagan dulce
verde valle con tus lagos y tus campos llenos de uvas y man-
zanas me permito recorrerte una vez más acampar a las ori-
llas del lago Shuswap comerme una fuente de frutillas ten-
derme cara arriba impregnarme de sol escuchar el saludo
del tren que en cinco días llegará a Toronto Montreal me
permito sentir la nostalgia que nunca antes sentí...

Fíjese comadre que todavía me acuerdo de los nombres de todos esos lugares donde fuimos. ¿Se acuerda
que en algunas partes el público ni sabía dónde estaba Chile y menos todavía lo que había pasado en Chile? Y nosotros discurseando y cantando y al final todos de pie con el puño en alto cantando Trabajadores
al Poder, pero no había caso que dijeran Tra**baja**dores
y todos gritaban Tra**jaba**dores al Poder y hasta nosotros terminábamos gritando Tra**jaba**dores al Poder y
después en el baño nos hacíamos pis de la risa...

Pensar que hasta tuvimos que aprender a rezar para
ganarnos la solidaridad de los cristianos. La primera
vez que fuimos a conversar con una congregación de
New Westminster, un domingo gris y lluvioso, el cura
de repente nos pidió que rezáramos el Padre Nuestro
en castellano. Y las dos paradas ahí adelante nos quedamos mirándolo con la boca abierta porque ninguna
de las dos se sabía el Padre Nuestro hasta que yo em-

pecé, puro chamullo, que por favor no te olvides de nosotros, que nos vamos a portar bien y perdónanos nuestros pecados porque son chiquititos y por una buena causa, y sobre todo no te olvides de darnos pancito todos los días para nuestros hijos, las manos cruzadas sobre el pecho, mirando el suelo, amén.

Esa última tarde de mi exilio en Vancouver, conversamos de tantas cosas, comadre. De su niñez como hija de dueños de fundo en la región de Rancagua, de la mía en Concepción, hija de minero y costurera. De cómo, a pesar de nuestras diferencias, llegamos a compartir los mismos ideales y el destino nos juntó a diez mil kilómetros de donde nacimos. Y ahora, nos separábamos, yo para unirme a la resistencia clandestina en Chile, usted para continuar su vida de exiliada en Canadá.

Malena tiene pena de bandoneón

Usted tenía razón para tener miedo, comadre. Pero el miedo no es insuperable y ahora, más que nunca, hay mucha esperanza. No existen las palabras para describirle cómo me gustaría saber que ha decidido venirse, que algún día me la puedo encontrar por ahí o que incluso nos toque hacer alguna tarea juntas.

Pero esa tarde de verano en Vancouver, las dos sabíamos que pasaría mucho tiempo antes de que nos volviéramos a ver. Y hoy, mientras me fumo mis Hilton y me recago de frío, la extraño comadre; la toco, la miro, le converso, la abrazo, tal como lo hice tantas veces allá en el Norte, en Canadá.

Tu canción tiene el eco del último encuentro
tu canción se hace amarga en la sal del recuerdo

Nunca olvidaré nuestras locuras y pecados, comadre, y menos aún los de esa última tarde que pasamos juntas.

El mar estaba frío. Por mucho calor que haga allá en el norte, el agua siempre está fría. La luna empezó a salir y ya tuvimos que vestirnos porque si los pacos nos pillan en pelotas en la playa... «No la puedo ir a despedir, ¿no?» «No, comadre». «¿Me puede escribir?» «No, comadre». Tenga cuidado, comadre». «Sí, comadre». «Aquí están los cincuenta dólares. De algo le servirán». «Gracias, comadre». «Yo me quedaré aquí haciendo lo que pueda hasta que me dé el cuero para irme, comadre». «Bueno, comadre».

La vida no es tango, pero mierda que se parece. Lo último que vi fue su espalda y un cierto modo de arrastrar una pena.

La espero.

FANTASMAS TRASHUMANTES

... La memoria. Mi veneno, mi comida.
Eduardo Galeano

Trastornos en la trasnoche

Cuando se conozcan, él le dirá que es canadiense hasta los tuétanos. Hasta los tuétanos, pensará ella. ¿Dónde estarán los tuétanos? Pero en fin, en ese momento ella estará más interesada en sus ojos claros y en sus manos de cachorro que en sus tuétanos. Y por qué no decirlo, le atraerán de manera especial la mata dorada de vello sedoso que se le asoma por el cuello abierto de la camisa y el balanceo de barco con que se mueve. Por eso decidirá dejar la pregunta sobre los tuétanos para después. Si es que hay un después. Y bueno, sí, habrá un después.

Esa primera conversación con un café de por medio, a las 2:45 de la madrugada, la tendrán en la cocina del noveno piso del edificio El Paraíso en el centro de Vancouver. Los dos serán empleados de la Compañía *Pretty Maid* y se desempeñarán haciendo limpieza de oficinas durante el turno de noche. Así será que se seguirán viendo a horas inauditas, entre escobillones y aspiradoras, plumeros y bolsas de basura.

El café de las 2:45 se transformará en rito y en su medio inglés ella le describirá la loca geografía de su país y le contará historias atolondradas de su niñez en Valdivia, de su vida de estudiante en Santiago. Él querrá saber por qué se vino al Canadá, por qué está sola, qué pasó con su familia... Ella le contará entonces de los mineros del cobre, de las lavanderas y los campesinos, de los poetas y los cantores, de las alamedas repletas de sueños, de un día de muerte en septiembre; marchas militares, tanques, gritos, terror. Le explicará que ella era dirigente estudiantil, que muchos como ella desaparecieron y que su familia, temiendo por su vida, insistió en que saliera del país. ¿Por qué Canadá?, querrá saber él. Porque sí, le responderá ella con un levantar de hombros. Podría haber sido Suecia, Holanda... Pero Canadá me aceptó primero, agregará con una chispita en los ojos. Él se dejará llevar por el brillo de sus ojos oscuros y el movimiento de pájaro de sus manos, mientras escucha con atención y asiente en silencio.

Él no sabrá exactamente dónde está Chile, así es que una de esas noches ella traerá un mapa y le mostrará el delgado jirón de tierra deslizándose silencioso hacia el Pacífico en el otro extremo del mundo. «Chile es una larga y angosta faja de tierra», le recitará en castellano, al estilo primera preparatoria, como le enseñó la Srta. Consuelo. Él acariciará el mapa con la punta de los dedos como queriendo sentir la textura de la tierra y el frescor de las aguas. La mirará con curiosidad, sorprendido quizás de que su boca pueda producir tal cadencia de sonidos misteriosos. Ella tratará de sostenerle la mirada, pero un zig-zag eléctrico le recorrerá la espalda, y antes de que él note el rebalse rojo que le viene subiendo por el cuello, se parará y saldrá corriendo al baño.

Ahí llorará frente al espejo, las manos apoyadas en el lavamanos, las comisuras de la boca curvadas hacia abajo, el labio inferior temblándole imperceptiblemente. Se lavará la cara con agua fría y se sentará en el inodoro suspirando y carraspeando, las manos extendidas sobre el vientre, como queriendo proteger una herida, contener un dolor. Como si toda su memoria estuviera encerrada en esa cavidad tibia y oscura, casa de antiguos habitantes misteriosos, espíritus que cruzan fronteras, atraviesan continentes, aprenden otras lenguas. Ahí se quedará un rato conversando con su fantasma favorito, el más pequeño, el más íntimo de todos, y sobre todo el más suyo. Suyo para siempre...

Fantasma del refugio marino y el niño-pez
Aún te recuerdo como el pequeño palpitar en mi vientre, los mareos matinales, las náuseas en clase de Gramática. Tuviste que existir para que la niña de entonces aprendiera de golpe y porrazo que la vida es así, a veces púrpura, otras ámbar, azul transparente, pero a menudo gris como la niebla. Que sentir un par de manos bajo la falda, una voz jadeante en el oído y el pasto húmedo bajo la espalda tienen precio, un precio pagado en angustia, confusión, maraña, soledad.

Efímero beso hecho vida, ¿qué hacer con tu larva marina, luego que la nocturna mancha de mi falda se hizo incertidumbre, desazón? ¿Qué hacer con mi hígado, mi pecho, lleno de pájaros? ¿Qué hacer?

En aquellas noches de insomonio te sentía crecer escondido en mi refugio de algas y sal, y te imaginaba moreno como él, quizás con sus grandes ojos negros, pero a lo mejor con mi boca. El silencio oscuro de mi cama de pensionado me encontraba buscándote, hablándote, soñando con el día en que ya humano te asomarías al mundo.

Pero también pensaba en tu abuela, llorando y persignándose, y en tu abuelo, silencioso y con el ceño fruncido, listo para explotar como una bomba. ¡Cómo hubieran hablado las vecinas, el lechero, el panadero, la verdulera, el cura y mi madrina, si hubieras salido al mundo con tu inocencia y tus ojos grandes!... *Y quién dijera tan regalona que la criaron y ahora con lo que sale con su domingo siete quién hubiera pensado eso es lo que se recibe de los hijos por criarlos tan mimados Dios mío no tener madera cerca que Dios me perdone pero por eso a las mías desde chiquititas derechitas nada de pololeos ni cosas raras tan joven esta niña y ponerse tan loca que Dios le perdone este pecado tan grande y él quién será el sinvergüenza...*

Y yo, que creía en la vida color de rosa caminé por callejones mugrientos con mi paquete de algodón y antibióticos bajo el brazo, hasta llegar a una casa negra. Nunca antes supe que las cocinas no sólo sirven para abrigar los ánimos y las mesas de la cocina para preparar y compartir los alimentos que nos dan vida. Mi espalda se encogió como un caracol sobre la superficie fría y húmeda. Mi mente se despidió de ti brevemente y mi cuerpo se preparó para morir...

Otros fantasmas trashumantes

Él tocará la puerta del baño con suavidad y le preguntará si está bien. Ella se parará rápidamente mientras le dice que sí, que no se preocupe, que ya va. Cuando salga del baño, él la estará esperando apoyado en la muralla, fumando un cigarrillo. Ella se sentirá estúpida y fea, pero sobre todo vulnerable y expuesta, como si estuviera desnuda. Caminarán de vuelta a la cocina en silencio. El apagará el cigarrillo en el cenicero de vidrio que está sobre la mesa, recogerá las dos tazas con restos de café y se acercará al lavaplatos para lavarlas.

Cuando ella lo vea parado frente al lavaplatos, la inundará una gran ternura y una necesidad incontenible de apegarse a él, de anidarse en los recovecos de su cuerpo. Se le acercará por detrás y hundirá la cara en su espalda, mientras le rodea la cintura con los brazos. El se quedará en la mitad del gesto de abrir la llave. Se demorará unos segundos en acostumbrarse a la humedad de su cara en la espalda, a la tibieza de su vientre en la curvatura de los glúteos. Ella se quedará allí, acurrucada contra él con los ojos cerrados. Él le cubrirá los brazos y las manos con los suyos. Ella abrirá los ojos y verá a sus fantasmas transgresores sonriéndole desde la puerta de la cocina. Ahí estará Mauricio, con quien hiciera un amor urgente y desesperado en cualquier rincón oscuro del campus universitario. Jaime, basquetbolista y filósofo, con sufi-

cientes recursos para pagar un cuarto en un hotelu-
cho del barrio Estación Central de vez en cuando. Clau-
dio, camarada, amigo, tierno amante, de quien tuviera que separarse abruptamente después del golpe
cuando él se fue a la clandestinidad y su familia la
mandó a ella al Canadá. Y más allá, detrás de todos
los demás, estará Carlos, su primer amor, ofreciéndo-
le una caluga de la Confitería Sur...

Fantasma de la mampara

Busca en su memoria y encuentra el fantasma de su
propio rostro, el rostro de una niña de ojos redondos y
oscuros, medio asustados. Al escuchar la risa de esa
niña, ve unos dientotes de paleta y una boca que le abre
la mitad de la carita de ratón, limpia, suave, cubierta
con el tenue vello de un durazno. Se mira los zapatos
negros del colegio y las medias azules que terminan en
dos rodillas marcadas de cicatrices queriendo esconderse debajo del delantal blanco almidonado.

«¿Qué habrá visto él en mí a los doce años de
edad?», se pregunta ahora. Campeona de natación,
como le decía su hermano: nada por delante, nada por
detrás. Toda rodillas y dientes.

Ella sabía que a ella le gustaba todo él, pero sobre
todo su cuello. También le gustaba cierta ropa que él
tenía, como si la ropa hubiera sido parte de su cuerpo.
Su favorita era una chomba café clara, hecha a mano.
Ahora ella lo ve con esa chomba y unos pantalones de
mezclilla azul. De los pies no se puede acordar, pero
sabe que su manera de caminar le producía a ella una
cierta nostalgia, un no sé qué en la boca del estómago.

Ella le había mandado una carta en un papel celeste, el único papel fino, de color, que vendían en la librería ABC. Había tenido que esperar hasta necesitar un cuaderno nuevo para Castellano para aprovechar de comprar dos hojas de papel. Menos mal que su mamá no se había dado cuenta de que había gastado más que de costumbre en el cuaderno. Había escondido el papel adentro del libro de Ciencias Sociales, y una noche, después de días de perder el apetito y transpirar por nada, se había quedado sentada en su cama, con una vela, escribiéndole una carta a Carlos, en el papel azul, con la Parker 21 que le había regalado su papá, llena de tinta violeta.

No le había contado de la carta a nadie, ni siquiera a su mejor amiga, porque sabía que nadie le iba a creer que ella iba a tomar la iniciativa y le iba a mandar una carta de declaración de amor a un chico. No sólo no le iban a creer, sino que iban a pensar que estaba loca. Loca de remate. Las niñas no hacían esas cosas.

En la carta le había dicho a Carlos que lo amaba, que le gustaba su cuello, la chomba café, todo. Incluso le había hablado de su manera de caminar y la nostalgia que sentía en la boca del estómago cuando lo veía por la calle. Se la había pasado en clase de Matemáticas, metida adentro de un libro, la mano temblándole. «Saca la carta y devuélveme el libro», le había dicho con una voz ronca que hasta a ella misma le había sonado desconocida. El había tomado el libro como en cámara lenta, sin entender. «Hay una carta, una carta para ti, en el libro. Cuidado. Que no te vean», le había dicho ella y se había vuelto a toda carrera a su banco, dos filas más adelante. Unos minutos depués le había llegado el libro de regreso, sin la carta.

Ella se había pasado la clase entera con dolor de estómago y la profesora la había retado varias veces por distraída. Esa misma tarde, en clase de Castellano, él le había dejado un papel de cuaderno todo amuñado encima de su banco. La nota decía:

«Te veo al salir del colegio en la Confitería Sur».

Cuando ella entró a la confitería, él ya estaba adentro. Ella se acercó, transpirando, y él le pasó una bolsita de calugas. Salieron sin decir una palabra, mientras ella abría la bolsita y se metía una caluga en la boca. Él era media cabeza más alto que ella y cuando ella volvió la cara para mirarlo, lo primero que le vio fue el cuello.

«Hay una casa con mampara a la vuelta, en la calle Camilo Henríquez. No nos puede ver nadie y si no hacemos ruido, la gente de la casa no se va a dar ni cuenta», le dijo él. Ella asintió, metiéndose otra caluga en la boca.

Llegaron a la casa ésa y se metieron detrás de la puerta. Una ralla de luz se filtraba por entre las bisagras. Ella todavía tenía la boca llena de caluga y los oídos le zumbaban como abejas. En cuclillas ella le buscó la boca con las manos. Le acercó su propia boca, le pasó la caluga que le quedaba y se fue directo al cuello. No podía creer que éste fuera su cuello, el que ella había acariciado a la distancia con tanta dedicación. Era suave, tibio, y olía a canela, como el jabón LeSancy.

Las manos de él le habían deshecho las trenzas y ahora le acariciaban los hombros, la espalda. Se besaron en la boca y la caluga, mucho más chica, le llegó de vuelta. Se pararon y salieron, él caminando para un lado y ella para el otro. Ella se rehizo las trenzas a la carrera y se estiró el delantal con las manos húmedas.

Por varias semanas ella le siguió escribiendo cartas de amor en papeles azules escondidos en libros de Matemáticas, Historia y Castellano. Y por varias semanas él le respondió con notitas amuñadas, escritas en pedazos de papel de cuaderno. Mientras ella le hablaba de piel, olores, ojos y estrellas, él le daba citas en la mampara de la casa de la calle Camilo Henríquez.

Y un día, las notitas amuñadas dejaron de llegar a su banco. Por un tiempo, ella le siguió escribiendo las cartas azules, pero él ya se había aburrido de la mampara...

La mesa de la cocina (revisitada)

Ella se desprenderá suavemente de sus brazos y sus manos y con sus propias manos comenzará a recorrerlo, a desabotonarle la camisa, a jugar con la mata sedosa de su pecho. Cuando sus manos le lleguen al cierre del pantalón, él se dará vuelta lentamente y le tomará la cara entre sus manos.

Lamerá las lágrimas salobres que le humedecen a ella las mejillas, le besará los ojos, le morderá las orejas y le abrirá la boca con la lengua. Ella jugará con su pene y con sus glúteos. El liberará sus pechos, los amasará como pan fresco y la tomará por la cintura. La sentará sobre la mesa de la cocina y la empujará suavemente hacia atrás con su pecho, mientras le sostiene la cabeza con una mano y le acaricia el pubis con la otra. La superficie de la mesa acogerá su espalda. Su mente se preparará para resistir, pero su cuerpo se rendirá a las caricias de este canadiense hasta los tuétanos con gustito a mar en la boca.

Declaración de amor en azul

Mi adorado John,

Reconozco a mi madre en el hueco largo, oscuro de tu espalda. Déjame descansar, rodeada de piel, metida en tu mampara. No me dejes salir. El mundo es tan grande, hace tanto frío. Llévame metida en tu casa de huesos y rumores, la única que tengo. Mi país existió hace tanto tiempo con sus paredes de agua azul y nieves altas. Lluvia del sur, Macul en otoño, río Valdivia pujando vida hacia Niebla, Mancera.

Mi amor, hace tanto tiempo que te quiero, que te busco, y tú sin saberlo. Ahora estoy aquí, en ti. No me dejes salir.

Yolanda

Conversación en El Paraíso

John: (Tomándole las manos y besándole el cuello). Tengo algo bien especial aquí en el bolsillo... Para ti... ¿Quieres verlo?

Yolanda: (Riéndose y tratando de meterle la mano en el bolsillo)

¿Qué es?... A ver, muéstramelo...

John: (Estirando la pierna derecha para poder meter la mano en el bolsillo) Ojalá te guste... O sea, ojalá te guste la idea... (Saca una cajita forrada en terciopelo burdeo.

112

Su cuello y su cara se ponen casi del mismo color de la cajita, la mano le tirita, siente la transpiración correrle por la espalda. Se para y se arrodilla frente a ella, abre la caja y saca un anillo de compromiso con un diamante pequeño). Quiero que te cases conmigo... Te amo... ¿Quieres casarte conmigo?... ¿Por favor?...

Yolanda: (Con los ojos muy abiertos, roja como un tomate, las comisuras de la boca curvadas hacia abajo, el labio inferior temblándole imperceptiblemente, la transpiración mojándole el pecho, la espalda). John... Dios mío, nadie nunca me pidió que me casara con él... Yo nunca pensé que me casaría, ¿me entiendes?... Es tan burgués...

¡Qué anillo más lindo!... A ver pónmelo... (Estira la mano izquierda. El le desliza el anillo en el anular. El anillo le calza perfectamente)... ¿Es un diamante de verdad?... Nunca había visto un diamante de verdad... ¿En serio que te quieres casar conmigo?...

Happy End

Aviso en la sección «Avisos Clasificados» del periódico **El Sol de Vancouver**, *lunes 20 de Junio de 1975:*

Yolanda Cárcamo y John McDonald tienen el agrado de anunciar que ayer, domingo 19 de junio, contrajeron matrimonio en una sencilla ceremonia que se llevó a cabo en la Iglesia Unitaria de Vancouver, Avenida 49 Oeste, Número 949, a las 12:00 del mediodía. La ceremonia fue seguida de una recepción a la que asistieron familiares y amigos.

La Historia Continúa

Se irán a vivir en un departamento de un ambiente en el West End de Vancouver, cerca del mar y el gran parque Stanley. Todas las noches, al volver del trabajo, se quedarán dormidos abrazados y cuando el ruido del tráfico ya no la deje dormir, ella se levantará silenciosa, se hará un café y escribirá en su cuaderno de recordar la vida. Mientras escribe, lo mirará dormir, de espaldas, el brazo derecho doblado sobre la cabeza y el vello del pecho escapándosele por entre las sábanas.

Inevitablemente las palabras irán abriendo cajoneras antiguas de donde saldrán olores y sabores, texturas, sonidos, calles, caras, ciertas maneras de vivir, de sentir, de ser, tan diferentes a su vida actual. Fantasmas. Se sumergirá de cuerpo entero en la evocación del pasado, su mano derecha dedicada a la difícil misión de seleccionar, escoger, poner en orden lineal, y dibujar pequeños signos que luego leerá y re-leerá hasta que el cuerpo le doldrá de tanta nostalgia.

Cuando el dolor ya no la deje respirar, se volverá a meter en la cama. Allí se refugiará por un rato hasta que sienta que el dolor dé paso al placer. El cuerpo se le irá derritiendo de a poco, moldeándose a los tibios recovecos y rincones de ese otro cuerpo tan diferente al suyo, y sin embargo conocido ahora centímetro a centímetro. El ritmo del amor la llevará a explosiones de felicidad, incluso de paz. Pero una vez que el placer se retire, el dolor y la nostalgia se volverán a instalar en cada uno de sus poros.

Muchas mañanas, mirándolo dormir, se preguntará si en realidad lo ama. En él ha encontrado el hogar perdido, su familia, sus amigos. Él es su país. Chile, la larga y angosta faja de tierra deslizándose silenciosamente hacia el Pacífico, ahora sólo vive en su pasado. ¿Pero qué hará con todos esos fantasmas trashumantes que no la dejan vivir en paz? ¿Será alguna vez capaz de guardarlos en la cajonera del olvido de una vez por todas?

Happy End (revisitado)

La mañana lo inunda todo con su escándalo de pájaros y sol. El café le entibia la garganta. El cuaderno de recordar la vida la mira desde la mesa. El auricular del teléfono se le mete en la curvatura del hombro y su dedo índice marca el número ya memorizado hace semanas.

«*Canadian*», contesta en su oído derecho una voz distante, impersonal.

«Necesito hacer una reserva», se escucha decir ella. «A Chile... Sí... Un boleto... No... Sólo de ida.»

LOS LABERINTOS DEL AMOR

Yo nunca la dejé entrar. Seguramente cuando yo era niña, ella entró, ¿demasiado? Pero al momento de la adolescencia, le cerré la puerta y nunca más entró. Ni siquiera al final. El final de la vida de ella, porque yo aquí sigo, queriendo haberle abierto la puerta, pero sabiendo que siempre la dejé afuera.

Ella me abrió su puerta, cuando ya estaba por irse. Me la abrió por el lado de su cuerpo. Entré por el camisón de franela rosada con pintitas de colores que le levanté cada día para lavarle los pliegues de piel, los recovecos de carne, las oscuridades íntimas de ese cuerpo que me rindió sin reservas. Me dejó olerla, tocarla, darla vuelta, mirarla, desdoblarla, abrirla, sentir su tibieza en la punta de los dedos, sacarle los olores con la mano enjabonada, rociarla con uno que otro lagrimón, saberla íntima, suave, falible, vulnerable, mortal.

Todavía no sé qué hacer sin ella. Ya no tengo quién me ame incondicionalmente. O quizás es al revés. Ya no tengo a quién amar incondicionalmente. ¿Es que no amo a mis hijos sin condiciones? ¿No se supone que las madres son las que aman a sus hijos sin condiciones? ¿O son los hijos los que no tienen alternativa? Los laberintos del amor. Tanto amor.

Managua en agosto. Noche caliente, pegajosa, pesada. Un gusto a barro en la boca. La televisión muestra a un grupo de políticos secuestrados y a sus secuestradores preparándose para otra noche de insomnio, mientras las baldosas de la casa se adormecen, todavía tibias después del calor incendiario del día.

Nicaragua, país donde la historia se ve pasar por la ventana y se toca con la mano. País donde los niños desnutridos se encaraman en los parabrisas de los carros con esponjas estilando espuma sucia en búsqueda de una moneda. País donde los cardenales construyen catedrales dantescas con cúpulas mamarias apuntando al cielo mientras los ranchos de los pobres proliferan en el polvo, a su alrededor. País al que llego y vuelvo porfiadamente queriendo encontrar algún sueño hecho realidad, o al menos el recuerdo de algún sueño hecho realidad.

Pero mientras la realidad me golpea, me duele y se me mete por los poros, el televisor me abre otros mundos: mundos diáfanos, sin basura, sin mujeres de treinta con el aspecto de viejitas de sesenta, mundos con agua potable y alcantarillado. Mundos con gente que come y duerme, ama, traiciona, siente, se abraza, ríe, llora. Gente que vive. Punto.

Esta noche, es el mundo de Pantanal. La belleza natural del sur del Matto Grosso brasileño se extiende espectacular por la pantalla con una naturaleza llena de texturas y sonidos que enmarcan los sentimientos de personajes intensos, capaces de seducir al más incrédulo espectador. Yo no tengo problema en dejarme llevar por la boca de esta gente linda que modula en portugués pero se hace escuchar en un español un poco raro. Qué más da, pienso, mientras me meto en ese cuento a todo color, poblado de amores fogosos, cuerpos llenos de sol, sonrisas perfectas, asados jugosos, canciones, caballos, ríos y mujeres que se transforman en jaguares.

En las pocas veces que he visto el programa, hasta he llegado a querer a la María Marruá, mujer inteligente, de un orgullo extraordinario y una fortaleza que ya se la quisiera la mejor guerrillera. También me fascina su hija, con su cabello oscuro y una dureza en la cara que no le quita lo linda. Pero esta noche, me dedico a llorar la muerte de María Marruá en manos de un tipo cobarde y definitivamente malo. No faltan los malos. La hija encuentra a María Marruá en el río, muerta, la toma en sus brazos y llora. Ella llora en la pantalla. Yo lloro a moco tendido en la realidad caliente de esta noche de Managua.

Suena el teléfono. Larga distancia de Vancouver, Canadá. Mi tía llamó a mi casa desde Chile. Mi mamá tiene cáncer al pulmón. El médico le ha dado un año de vida. Mi mamá se va a morir. Yo la voy a tomar en mis brazos, como la hija de la María Marruá, y voy a llorar. Pero no vamos a estar en un río de el Pantanal brasileño, sino en la casa de Quillota. Mi mamá no va a ser la mujer joven, fuerte, hermosa que fue la María Marruá, sino que va a tener 75 años y va a estar débil,

118

muy débil. Tampoco se va a transformar en un jaguar. Y yo, sobre todo yo, no voy a parecerme en nada a la preciosura que es la hija de la María Marruá. Voy a tener 46 años. Baja, gordita, con anteojos. Además, va a ser de verdad. No va a ser una telenovela. Mi mamá se va a morir de verdad.

Las tortas de mi mamá. Redondas, cuadradas, rectangulares, altas, bajas, de varios pisos. Espuma de Coco, Primavera, Fantasía, Genovesa, Viena Imperial, Selva Negra, Muselina, Borrachita, Carnaval, Hildelberg, Moca. Mi mamá, llegando al aeropuerto de Vancouver con un paquetón inmenso: torta Hildelberg para el cumpleaños de su nieta. Torta Hildelberg desde Quillota, Chile, a Vancouver, Canadá. Un taxi, un bus, otro bus, otro taxi. Un vuelo internacional. Revisión electrónica en el aeropuerto de Santiago. Inmigración y aduana en el aeropuerto de Vancouver. Mi mamá llega a Vancouver el día del cumpleaños de su nieta y le entrega su regalo: una gran torta Hildelberg. Le sorprende nuestra sorpresa. Fue simple: explicó que hacía mucho tiempo que no veía a su nieta y que le traía una torta, hecha con sus propias manos, de regalo de cumpleaños. Nadie le hizo problema.

En esta foto ella debe tener diecinueve años. Mi hermano debe tener un año, y mi papá, veinticinco. Santiago, un estudio fotográfico en la calle Ahumada, cerca de la Plaza de Armas. Quizás en el Portal Fernández Concha. ¿El invierno de 1938? ¿Su segundo aniversario de matrimonio? ¿O marzo de ese año? ¿El primer cumpleaños de mi hermano?

Ella debe haber tejido el traje que tiene puesto mi hermano. Punto arroz, chomba manga larga de cuello subido, tres botoncitos al costado. Pantalones cortos. Zapatitos de charol, soquetes blancos. El pelo del niño está peinado con gomina, estirado hacia atrás. Indudablemente la mano de mi madre. Mi papá también tiene el pelo peinado para atrás; su propia mano. Terno cruzado, corbata para la foto. Camisa blanca; las manos de mi madre.

Ella siempre estuvo orgullosa de sus manos. «Manos trabajadoras», decía. Cuando chica, yo hubiera querido que tuviera manos de señora, como las madres de las niñas ricas o las manos de mis tías: blancas, finas, suaves, de uñas largas pintadas de rojo o rosa. «Eso demuestra que no hacen nada en todo el día», decía ella.

Una de sus manos sostiene al niño; es la mano izquierda, donde brilla la argolla de matrimonio en el dedo anular. La otra mano descansa en su falda. Seguramente ella también se hizo el vestido que tiene puesto. Mangas abullonadas, cuello en punta, canesú con pliegues y botones al frente. Falda recta que le tapa las rodillas. Bonitas piernas. Ella también estaba orgullosa de sus piernas. «Preferible tener las piernas redondeadas a tener palos de escoba», decía. ¿Qué le pasó a la serenidad de esta sonrisa inmensa? Yo nunca la conocí así, emanando felicidad, tranquilidad. Esta es mi madre. Esta muchacha hermosa es mi madre.

Esta es mi madre. 74 años de edad. Se ha achicado

tanto que ahora es más baja que yo. Su cara tiene la textura y la suavidad de un mapa antiguo. Cuesta encontrar en esta cara, la cara de la muchacha de la foto del año 38. La sonrisa todavía es amplia, pero los ojos se han empequeñecido y reflejan dolor. Dolor. Su cuerpo ha sido invadido por el cáncer. La tos no la deja dormir. Ya no quiere comer. Pero el dolor es más viejo y más profundo que el cáncer. Dolor. Veinte años sin sus hijos y sus nietos. «Me duele que hayan crecido tan lejos de su país», me dijo por teléfono cuando la llamé para decirle que iba. «Me duele que hablen otro idioma, que tengan otros valores».

Me hace buscar todos sus cuadernos de recetas. Las revisamos juntas y las marca: «muy buena», «buena», «aceptable», «mala». Quizás, éste sea su más importante legado. Para el 18 de septiembre, Día de la Independencia Nacional, hago empanadas de horno. Me demoro todo el día, me corto el índice izquierdo picando cebolla, me quemo el antebrazo derecho en la orilla del horno, sudo, me duelen los pies. La receta estaba marcada «muy buena», pero después de tanto sufrimiento, la empanadas sólo me salen «aceptables».

Su otro legado es su arte. Florcitas de cerámica de todos los colores. Niños, animales, brujitas. Miniaturas amasadas y pintadas por las manos trabajadoras de mi madre. Viejecitas hechas con medias viejas, pelo de seda, bocas y ojos bordados, colorete en las mejillas, botincitos de cuero. Años de trabajo en su taller-comedor de la casa de Quillota. Las criaturas salidas de sus manos pueblan cada superficie posible: repisas, aparadores, estantes, cómodas, vitrinas, mesitas de arrimo, marcos de ventanas. Son un ejército. Un ejército diferente al que la llevó a crear criaturas con las cuales compartir su soledad.

Le tengo que contar de Chile a los niños, me dice. No debo dejar que se olviden de sus raíces, de su origen. Cuando está despierta no para de hablar. Me cuenta y recuenta historias de mis abuelos, de su juventud, de cómo era el norte de Chile cuando ella era niña, del quinto centenario de la fundación de Valdivia, de la resistencia de los mapuches. «Nunca se rindieron», me dice. Me las arreglo para conseguirme una grabadora. ¿Me va a dejar grabarle sus cuentos? «Son para tus nietos, para tus bisnietos», le digo. «Para que te escuchen, para que escuchen las historias de la familia en tu propia voz». «Bueno», me dice. Y sigue contando y contando. «Cuéntame cómo conociste a mi papá», le pido. «Eso pasó hace mucho tiempo», me dice y llora. Yo apago la grabadora.

Está claro que ha decidido morir pronto. Un año es demasiado largo. Ayer me preguntó para cuándo son los pasajes de vuelta. «En dos semanas. Pero vamos a volver para la Navidad», le digo. «No, no tienen para qué hacer tanto gasto», contesta. Tony, mi compañero canadiense, le pregunta si quiere que le pinte la fachada de la casa. Ella está feliz. Para Tony es una manera de mostrarle su cariño, además de algo que hacer, algo en qué ocuparse allá afuera, al aire libre. Ella quiere dejar su vida en orden.

Me da instrucciones precisas sobre qué hacer con

las cosas. Obviamente, la responsabilidad me corresponde a mí como la hija mujer. La cerámica y las muñecas debo repartirlas entre toda la familia y algunos amigos. La máquina de tejer es para Prudencia, la máquina de coser para Gloria. «Al menos tendrán con qué ganarse la vida si los maridos las dejan o se mueren», me dice. Los muebles debo repartirlos entre la familia de acuerdo a las necesidades. Y la casa es para quien la necesite. Ante todo, debo asegurarme de que nadie pelee por las cosas. Yo no quiero recordarle que eso será difícil porque no nos podemos llevar ni la casa ni los muebles a Vancouver.

Ella se refugia en su cama. No quiere ir al hospital. Le cuesta respirar y hay que ayudarle a darse vuelta, a sentarse. Le duele mucho la cabeza, le dan arcadas. No son vómitos; no ha comido nada por muchos días. El médico dice que el cáncer se le ha extendido al cerebro. Cuando está despierta sigue contando cuentos y a veces llora. Yo la peino, le rasco la cabeza, la abanico con un pedazo de cartón. Todos los días corto una camelia del arbolito que por alguna razón milagrosa ha decidido encenderse temprano en la temporada. Pongo la flor encarnada en un pequeño florero sobre su velador y ella sonríe.

Desde el Canadá van llegando mi hermano, sus hijos, mi hija. Al menos, esta vez estamos aquí, a diferencia de cuando murió mi padre y la dictadura no nos dejó entrar a Chile. Mi padre murió sin sus hijos y sin sus nietos. Mi madre está rodeada de cuerpos tibios que se turnan para cuidarla.

Mi hija me ayuda a cernir las cantidades de objetos, libros, juguetes, ropa, cartas, fotos... Mi madre guardó en su casa todo lo que no pudimos llevarnos con nosotros al Canadá. Además, en sus cincuenta y siete años como dueña de casa, nunca botó nada. Los ecologistas le darían una medalla de oro por no contaminar el planeta. Aquí está el vestido café de la foto del año 38. Las polillas se han comido gran parte de la tela. Lo mismo con el trajecito celeste de mi hermano. Aquí están las fotos, los juguetes de nuestros niños cuando eran pequeñitos. Este vestido fue mi primer vestido de fiesta. Me lo hizo mi madre y todavía me acuerdo de los pinchazos con los alfileres cuando tenía que permanecer inmóvil por horas parada en una silla mientras ella le hacía una pinza aquí, un dobladillo allá. ¡Cómo la odié mientras me hacía ese bendito vestido! Seguramente ella también me odió a mí.

Mi madre muere un viernes al mediodía. Yo soy la única que está sentada al lado de su cama, leyendo *The Kitchen God's Wife* de Amy Tan, mientras le sostengo la mano izquierda. La noche anterior me di cuenta que tenía la palma de las manos casi negras, como si se las hubiera golpeado. Se las miré porque ella las tenía levantadas frente a sus ojos y las movía con gracia, como si hubiera estado bailando flamenco. Se las miraba porque sus manos habían sido las primeras en comenzar a morir. ¿De qué vale vivir si se te mueren las manos?

Todo el mundo anda por ahí, en el comedor, en la cocina, en las piezas de atrás, en el patio, jugando con el perro. Tony mete la cabeza por la puerta del cuarto y dice en inglés: «Terminé. La casa se ve linda», y se va al baño a lavarse. Yo levanto los ojos del libro y miro a mi madre, cuyo pecho se agranda con cada esfuerzo por hacer llegar aire a sus pulmones. Le aprieto la mano y le digo: «Mamita, la casa se ve linda». Ella abre los ojos y me mira. Los ojos le han cambiado de color, o quizás es que la muerte también ya le llegó a los ojos. Su pecho se desinfla. Sí, se desinfla. Mi madre deja de respirar.

Ella me había dicho qué ponerle: el vestido negro, el más viejito de los dos vestidos negros porque sería un despilfarro usar el más nuevo. A alguien le puede servir. Los zapatones negros y las medias negras hasta las rodillas, pero sin elástico, porque el elástico aprieta mucho. De la ropa interior no me dijo nada, así es que trato de adivinar cuál le habría gustado más. El vestido negro está descosido en la manga. Lo coso con cuidado. No me perdonaría nunca si la mando a la tumba con el vestido roto. Lustro los zapatones negros. Con la precisión de una cirujana, le saco los elásticos a las medias, asegurándome de que no se le vayan los puntos. La peino con suavidad y en el pecho le pongo un ramito de sus propias flores de colores. Tanto amor.

Todavía no sé cómo conoció a mi padre. Nunca sabré cómo conoció a mi padre. Los laberintos del amor. Por lo menos ahora sé que yo soy quien la amó incondicionalmente, a pesar de no haberle abierto la puerta. No tuve alternativa. No sé cómo voy a vivir sin este amor.

ROMPIENDO EL HIELO

*La vida se vive a sí misma, lo queramos
o no. La esperanza le pertenece a la vida.
Es la vida que se defiende.*

Julio Cortázar

A la *signora* Carmella y a Rosa las conocí en las galerías de la pista de hielo del Britannia. Esa temporada, entre septiembre del 92 y abril del 93, el nieto de la *signora* Carmella y el hijo de Rosa jugaron hockey en el mismo equipo que mi hijo. De acuerdo a los reglamentos de la Liga de Hockey para Menores, los niños se agrupan por edad, y cada equipo tiene un nombre, de acuerdo a la edad. El año anterior, se habían llamado «Atoms»: los átomos. Y ese año nuestros niños fueron «Peewees»: los pequeñitos. Así es que cada miércoles a las seis de la mañana nos encontrábamos, tiritando de frío, con un cafecito en la mano, mientras «los pequeñitos», disfrazados de astronautas, practicaban a pegarle a un tejo con un palo. Desde allá adentro, debajo del gorro, la bufanda, las botas, el abrigo y

126

la frazada, yo miraba a estos niños a través de la nube que formaba mi propio aliento, como a un espectáculo más propio de la prolongación de mis sueños nocturnos que de una práctica deportiva.

A la distancia también escuchaba a la *signora* Carmella con su voz de fumadora hecha de explosiones y jadeos intercalados, como esas locomotoras a vapor que hacían el viaje de Antilhue a Valdivia en los años cincuenta, allá en el sur de Chile. Ya hacía 33 años que se había venido al Canadá, decía la *signora* Carmella, pero ojalá no se hubiera venido nunca. La gente acá no tiene valores, no tiene moral. Y no se pueden mantener los valores del país viejo. Su hija, quién hubiera dicho, tuvo un hijo sin casarse y ahora, ella, que se había sacado la mugre trabajando toda su vida y merecía estar descansando, tenía que seguirle ayudando a la hija a criar a Enzo, porque tenía que asegurarse de que este *bambino* saliera bien criado. Menos mal que Enzo era un buen niño, ¡y tan goleador en el hockey! Si llegara a jugar en la liga profesional norteamericana, podría salvar a toda la familia de la pobreza, y en unos pocos años quizás ella pudiera descansar con comodidad. Pero una nunca sabe en esta vida, quién hubiera dicho que su marido se iba a morir sólo tres años después de llegar al Canadá, y la iba a dejar así no más, sola, y con una bebita. Y ella, que siempre había sido una mujer de su casa, tuvo que salir a trabajar limpiando las casas de otras mujeres, y a veces tenía que limpiar dos por día y después llegar a limpiar la suya, además de cuidar a la niña. Imagínese, sin parientes, sin nadie que le ayudara. Al principio pensó que trabajaría para juntar plata para volver a Italia, pero nunca logró juntar suficiente y además, en qué iba a trabajar en su pueblo, y pensándolo bien, como mujer sola, tendría que volver a vivir en la casa de sus padres, y ya se había acostumbrado a manejar su propia plata y sus asuntos.

Rosa metía la cuchara de vez en cuando, claro, ella también había tenido que salir a trabajar cuando su marido se fue de la casa, fíjese qué coincidencia, ella también había limpiado casas hasta que encontró ese trabajo en la fábrica de confecciones Snazzie donde todavía trabajaba, el pago es decente y tiene algunos beneficios, además se puede jubilar cuando tenga 65 años, que lástima que todavía falten como 25 años, ja, ja, pero por lo menos le ha podido dar una vida decente a sus niños, sobre todo considerando que el desgraciado nunca se volvió a aparecer ni nunca le ayudó con nada. Menos mal que los niños han crecido bien, la *menina*, Luzia, ya tiene 16 y es muy buena muchacha, una niña de su casa y muy pegada a su madre. Claro que el *menino*, Américo, le preocupa un poco porque ya tiene doce años y tiene un carácter muy fuerte y a veces se pone a despotricar contra su padre y dice que lo odia y que lo va a salir a buscar y lo va a matar por dejarlos solos, y ella le ruega que no, y entonces el pobre *menino* se pone a llorar. Alguien le había recomendado que lo inscribiera en «Hermanos Grandes», esa organización que le busca un hombre adulto al niño para que se junten y se distraigan una vez por semana. En la escuela le habían dicho que el niño necesitaba una figura masculina en su vida. Que difícil es esta vida, *meu Deus*, pero allá en las Azures habría sido peor.

Yo veía venir las preguntas que alguno de esos miércoles serían inevitablemente dirigidas a mí y me las esperaba metida en mi mundito ovejuno, pensando en cómo tomarlas, cómo hacerlas rebotar en mi escudo de lana, qué decir, qué tragedias contar, cuál de todas, si la del golpe en Chile, si la de las dos separaciones en el Canadá, la del padre de mi hija y la del padre de mi hijo, si la de la vida como camarera de banquetes en el Hotel Vancouver o la actual, de sicóloga, mujer de color, feminista, activista radical, madre de Carlitos, amante de un gringo medio estrafalario... «Soy de Chile», dije. «Vine hace veinte años con mi marido chileno y mi hijita de cinco años, la que viene a los partidos algunas veces». «Ah, ¿esa muchacha exótica es su hija?», dijo Rosa. «¿Y qué pasó con su papá?», preguntó la *signora* Carmella. «Nada», dije yo. «Por ahí anda. Nos separamos». «Entonces, ¿él no es el papá de Charlie?», siguió preguntando Rosa. «No, el papá de Charlie es canadiense. Vive en Toronto», continué para evitarme otra preguntita. «Oh!», expresaron las dos juntas con cara circunspecta. «¿Y no se ha vuelto a casar?», insistió la *signora* Carmella. «No», me reí yo. «Quedé curada de espanto de los hombres». Y hasta ahí no más llegué.

Cada miércoles nos seguimos viendo, yo lo más calladita posible y ellas dos contándose más y más tragedias, la *signora* Carmella con el peso inmenso de una hija irresponsable y un nieto casi adolescente; y Rosa, madre sola de dos hijos en la edad más difícil de su desarrollo. «Fíjese que Luzia se ha estado portando mal, ahora resulta que tiene novio, un muchacho negro, compañero de curso en el Vancouver Tech, imagínese, negro como el carbón. *Preto, preto.* Ay *meu Deus*, que habré hecho para merecerme esto, y ya hace meses que andan juntos y yo sin saber, hasta que el domingo pasado se pusieron a pelear Luzia con Américo porque el *menino* quería que lo llevara al cine y ella no quería, y el *menino* lleno de rabia le gritó que seguro que no lo quería llevar porque se quería estar besuqueando con el negro, y yo, de qué están hablando niños por Dios, y la *menina* llorando le gritó al *menino* que ni para guardar un secreto servía, y yo, qué secreto, hasta que me salen con el domingo siete, imagínese, doña Silvia, usted que es sicóloga, dígame, ¿qué le parece?» Bueno, yo traté de convencerla de que no había nada de malo en que una muchacha de 16 años tuviera novio y que si el muchacho era negro eso tampoco debería presentar un problema. La *Signora* Carmella no paraba de persignarse. Le pregunté a Rosa si había conocido al muchacho y le insinué que quizás lo podría invitar a la casa, pero no hubo caso. La *signora* Carmella no dijo ni una sola palabra y se persignó todo el rato.

A todo esto ya era noviembre. A las seis de la mañana, las mañanas no eran mañanas sino noches cerradas y la lluvia parecía hielo derretido. Cada miércoles, yo llegaba con mi termo de café para tres y Rosa se aparecía con pan hecho en casa. La *signora* Carmella se disculpaba con que ella no comía tan temprano y se dedicaba a tomar café y a fumar mientras batía la lengua. La semana después de la historia del novio negro, Rosa no vino al entrenamiento y cuando le pregunté a Américo por su mamá, me dijo que no se sentía bien. La *signora* Carmella lo había pasado a buscar y lo iba a llevar de vuelta a su casa. Esa mañana la niebla lo envolvía todo con una humedad helada que calaba hasta los huesos. La *signora* Carmella estaba de lo más callada y fumaba incluso con más dedicación que otros días. Yo no sabía qué hacer. Le serví el café oscuro y humeante y al pasárselo se me salió la preguntita inminente como un proyectil: «¿Qué tiene la Rosa?»

Gran suspiro, pitada al cigarrillo, borlas de humo, tos y finalmente: «Está enferma del alma. Esa *bambina* la va a matar. Ayer se apareció en el trabajo de su mamá, ahí en la fábrica Snazzie en la Tercera Avenida, nada menos que con el novio negro. Ahí, delante de todas las mujeres, la supervisora, todas. Y le empezó a gritar a su madre que si no quería conocer al nosecuantito mala suerte porque aquí estaba, que lo mirara bien porque éste era su novio. Entonces le gritó que se iba a ir de la casa, que ya no aguantaba más, que Rosa vivía en la Edad Media, que Canadá no era las Azures, que con razón su papá la había dejado, y entonces se dio media vuelta y se fue. Imagínese Silvia que le gritó todo esto a su madre en inglés; en-in-glés. Todo el mundo entendió. Rosa me llamó anoche. La supervisora le había dado permiso para irse temprano; bien comprensiva la mujer; creo que es italiana. Así es que yo fui a su casa, allá cerca de Nanaimo con la Avenida Veintidós. Fíjese que vive en un sótano, Sil-

via. Después de todos estos años, tiene un departamentito en un sótano... Bueno, la cosa es que tenía fie-
bre y no paraba de llorar. Américo es muy buen chico.
Estaba ahí, haciéndole tecito a su mamá y cuidándola.
Yo le puse unas compresas de menta en la frente y se
sintió un poquito mejor. Fíjese que Luzia no volvió a
la casa anoche. La pobre Rosa se nos va a morir. Esa
bambina es la niña de sus ojos».

¿Qué decir? ¿Qué hacer? La sicóloga, la que debería saber qué hacer, qué decir. Sobre todo qué decir.
Café, más café. ¿Dónde está el pancito de la Rosa? Rosa,
Rosa, ¿por qué nos dejaste abandonadas en este día
tan feo y yo, con las ganas que tenía de comer tu pan?...
Ya me acostumbré a acordarme del pan de mi mamá
cada miércoles a las seis de la mañana... Hacen tantos
años que no lo pruebo, y el tuyo es tan parecido, quién
hubiera pensado, con la distancia que hay entre las
Azures y Chile... «Ay, Dios mío qué difícil la situación»,
digo por último. Pero qué tarada que soy, ¿es que no
puedo pensar en nada más? «*signora* Carmella, ¿y usted qué piensa de esto del novio negro? ¿Usted cree
que es tan terrible que Luzia se haya enamorado de
un muchacho negro?», digo al fin.

Suspiro, pitada al cigarrillo, borla de humo, tos: «Yo
no sé Silvia, no sé qué pensar. Yo nunca vi a una persona negra hasta hace unos pocos años, cuando empezaron a llegar aquí a Vancouver; y es sólo en los últimos años que se ven más... Así es que no sé... Nunca
he hablado con nadie que sea negro... La Rosa tampoco. A lo mejor si hablara con el muchacho... ¡Y esa ton-
tona de la Luzia! ¡Con la cantidad de muchachos ca-

132

nadienses y portugueses que hay, ir a enmorarse de un negro!... Pero dicen que el amor es ciego, ¿no? A mi hija Gina le pasó lo mismo, claro que no con un negro. Pero cuando tenía más o menos esa edad se enamoró de un muchacho italiano. Lo conoció en el baile de graduación de la Escuela Prince of Wales, una de esas escuelas de ricos por allá por la calle Arbutus. Fíjese que fue una cita ciega. Su amiga Silvana tenía un novio canadiense que iba a esa escuela, yo no sé cómo lo conoció; un muchacho de buena situación. Creo que los padres son los dueños de unas tiendas en el Pacific Centre. Bueno, la cosa es que el amigo del novio no tenía con quién ir y era italiano, así es que Silvana no encontró nada mejor que invitar a Gina. Me pidieron permiso con anticipación; era comida y baile en el Hotel Vancouver, ahí donde trabajó usted, todo pagado, el sábado 26 de junio de 1979. Nunca lo voy a olvidar. Tenía 16 años y era tan linda mi hija, alta, esbelta, rubia, de ojos claros. Todavía es buena moza, pero subió de peso después del niño... Yo le hice un traje de terciopelo color ciruela madura, usted me entiende, ¿no? Hermoso le quedó. Y le presté el collar de perlas que me regaló mi marido cuando nos casamos. ¡Se veía preciosa! La pasaron a buscar a la casa, la Silvana con su novio y este otro muchacho, Antonio se llamaba, Antonio Fantinati. Gina no los quiso hacer pasar porque le dio vergüenza, usted sabe, muchachos ricos... Así es que ahí en la puerta no más la despedí yo... También le había comprado unos tacones blancos de cuero italiano, aquí en la calle Commercial, en la zapatería Kalena, con una cartera que le hacía juego a los zapatos. Yo conozco a los dueños así es que me dieron crédito y pagué todo en tres cuotas. Salió 65 dólares en total, y no me cobraron interés. Son muy buena gente. ¡Seguro que ahora la cuenta saldría más de doscientos dólares! ¿Y su hija?», me dice de repente, tomándome de sorpresa. «¿Ya se casó?»

«No, pero vive con su novio y en cinco meses más voy a ser abuela», me escucho decir yo y casi me pego una cachetada yo misma. ¿Qué va a pensar la *signora* Carmella? «De madre suelta, tal astilla suelta»... ¿Por qué le conté? Y ahora que le conté, ¿cómo convencerla de que no, de que no somos «sueltas»? ¿Que para nosotras el matrimonio-matrimonio ya pasó a la historia, pero que eso no significa que no amemos y nos comprometamos, y queramos lo mejor para nuestros hijos?... ¿Qué decirle a esta abuela italiana tan aferrada a sus valores y que ha sufrido tanto por aferrarse a esos valores?... ¿Cómo contarle de mi aborto a los 17, en una casa oscura de la calle Seminario, cerca de la Plaza Bustamante en Santiago, sola, lejos de mis padres, llena de vergüenza por haberlos traicionado tan rotundamente?... ¿Cómo contarle por lo que pasó mi niña a los catorce, cuando la atacó un violador en el Parque Central, de su trauma, los largos años de terapia, de su encuentro con este muchacho oscuro, de ancestro sud-asiático que la ama y a quien ella ama? ¡Y ahora me van a dar un nieto! ¡Imagínese *signora* Carmella, yo de abuela! ¡Casi exploto cada vez que lo pienso! ¡Y Carlitos de tío!... ¡Cómo vamos a querer a ese bebé, cómo lo vamos a cuidar y a mimar!... Lo vamos a traer a los partidos y se lo vamos a mostrar a todo el mundo...

«Eso es lo que yo debería haber hecho con Gina», escucho a la *signora* Carmella a lo lejos. «La debería haber dejado que se fuera a vivir con Antonio. La familia de él lo amenazó con desheredarlo si se casaba con ella, y además, como era menor de edad, necesitaba el consentimiento de los padres. Después que Gina se quedó esperando, él le propuso que se fueran a vivir juntos, como si estuvieran casados, que él la quería y quería al niño. Pero yo me opuse. ¿Cómo podía dejar que mi propia hija se 'arrejuntara' no más con su novio, como si nada? ¡Mi hija valía mucho más que eso! Pero pensándolo bien, si la hubiera dejado irse a vivir con él, quizás con el tiempo la familia de él hubiera cedido y la habría aceptado. Sobre todo después de ver al *bambino*, Enzo. ¡Qué lindo bebé que era! ¡Ya se lo hubiera querido cualquiera de nieto! Pero no, yo me opuse hasta el final y le hice la guerra a Antonio y mi Gina no se atrevió a irse así no más y se quedó conmigo. Finalmente Antonio se aburrió de pelear conmigo y de esperarla a ella. La venía a ver a la casa de vez en cuando y después que nació el niño se portó bien, ayudaba con dinero, con ropa, con lo que podía. Pero finalmente se enamoró de otra, de una de su clase. Siempre siguió ayudando, pero ya casi nunca viene de visita. Tiene otros hijos, y el pobre Enzo rara vez ve a su padre. Yo creo que Gina todavía está enamorada de él. Nunca se repuso del golpe. Cuando él se casó con esa otra muchacha, estuvo varios días enferma; yo pensé que se me iba a morir de pena. Si los hubiera dejado irse a vivir juntos, hace ya más de doce años, quizás todos seríamos mucho más felices ahora. Sobre todo el *bambino*».

Las lágrimas le corren por las mejillas de papiro a la *signora* Carmella y hasta se ha olvidado de pitar el cigarrillo, del que cuelga una larga columna de ceniza a punto de desprenderse y caer. La mano que sostiene el café le tirita y la tos le ha empezado a sacudir el pecho. Le doy palmaditas en la espalda mientras le saco la taza de café de la mano izquierda y la colilla de la derecha. En la escuela de Sicología me dijeron que nunca había que acercarse físicamente a un cliente. ¿Pero por qué mierda estoy pensando estas pelotudeces? ¡La *signora* Carmella no es mi cliente! La abrazo, y finalmente la locomotora de su pecho estalla sobre mi hombro. Yo lloro con ella, y con la cara metida en su abrigo olor a humo, me doy cuenta de que no estoy llorando sólo por esta abuela italiana, por Enzo y Gina, Rosa, Luzia y Américo, sino que por enésima vez, también estoy llorando por todas las tragedias acumuladas en tantos años de vivir mi propia vida, y por las tragedias que pasaron mi madre y mi abuela, sin mencionar las de mis hijos, pasadas y futuras, las cuales no podré evitar, haga lo que haga...

Ya casi es la hora de irnos. En silencio le sirvo el último cafecito a la *signora* Carmella. «Tenemos que ir a ver a Rosa», le digo. «Sí, tenemos que convencerla de que al menos tiene que conocer al muchacho, por muy negro que sea», dice la *signora* Carmella. «Sí. Y vamos a tener que pedirle a Américo que nos ayude a encontrar a Luzia».

Salimos del Britannia con los niños colorados de calor después de una hora de deslizarse, resbalarse, caerse, levantarse, pegarle al tejo con el palo, no pegarle, y todo esto sobre una superficie de hielo. ¡Qué rara es la vida! Mientras tanto la *signora* Carmella y yo no podemos dejar de tiritar, nadando en la neblina helada. La panadería Uprising, a la vuelta, ya está abierta y entro a comprar unos pancitos recién salidos del horno para llevar a la casa de Rosa. Seguro que no le van a llegar ni a los talones a los que hace ella, pero esta vez hay cosas más importantes de qué preocuparse a las siete de la mañana, un miércoles, en noviembre, en el barrio Este de Vancouver.

AGRADECIMIENTOS

*Quisiera agradecer al Consejo de las Artes del Cánada
(Canada Council) por la beca que me permitió escribir gran
parte de este libro.*

*A Nancy Richler, Lydia Kwa y Angela Hryniuk por leer el
manuscrito y darme sugerencias.*

A mi editor «junior», Ted (Lalo) Everton.

*A Alejandra Aguirre, por la fotografía de la portada y a
Carmen Aguirre, por posar para la foto.*

A Magaly Varas, por las correcciones al manuscrito.

*A la Editorial Los Andes por creer en el libro y sobre todo a
Gabriela Meza, su editora general, y Magdalena Piñera, su
directora, por tener la paciencia de comunicarse y negociar
conmigo a larga distancia.*

*A todos aquéllos, vivos y muertos, que de alguna manera u
otra inspiraron estos cuentos. Para que el país y el mundo
no se olviden de este doloroso pedazo de nuestra historia.*

*Y finalmente, a Alan Creighton-Kelly, no sólo por la foto,
sino por todo.*

ÍNDICE

ÍNDICE